まちごとチャイナ
広東省012

広州西関と珠江
騎楼と大屋と「カントン」
[モノクロノートブック版]

『(広東)沙面英租界バンド』(京都大学附属図書館所蔵)部分

広州の街は、華南を潤しながら流れる珠江支流(西江、北江、東江)の集まる地に開けた。この珠江水系を交通手段として利用できること、南海を通じて東南アジアやインドなどの異世界に通じることから、長らく物資の集散地点となってきた。広州南海交易の歴史は、始皇帝時代(紀元前3世紀)よりもさかのぼるという。

とくに航海技術が発展し、海の交通路を使った往来の盛んになった東晋時代(4～5世紀)から海外の文化や物資が広州に流入し、仏法や経典をたずさえたインド僧も多くこの街を訪れた。国際都市としての性格は、唐代(7～10世紀)、10万人ものアラブやペルシャ商人が広州に居住区をつくっていたという記録からもうかがえる。

（廣東）沙面英租界バンド

その後の清代(17 ～ 19世紀)の中国では、実質的な鎖国政策がとられ、北京から離れた広州は唯一の開港場として対外貿易が行なわれた。これらの外国商人と交易をするために中国商人が広州西関に豪邸を構え、中国全土分の商品の積みおろしをする広州西関の繁栄は世界的に知られた。西欧の商人がこの街を「カントン(広東)」と呼んだため、それが広州の街名として使われ、十三行や沙面、西関大屋や騎楼などが当時の名残りを今に伝えている。

Asia City Guide Production
Guangdong 012

Xi Guan

西关／xī guān／シイグゥアン
西關／sai[1] gwaan[1]／サァイグゥアン

｜まちごとチャイナ｜広東省 012｜

広州西関と珠江

騎楼と大屋と「カントン」

「アジア城市（まち）案内」制作委員会
まちごとパブリッシング

まちごとチャイナ
広東省012
広州西関と珠江

Contents

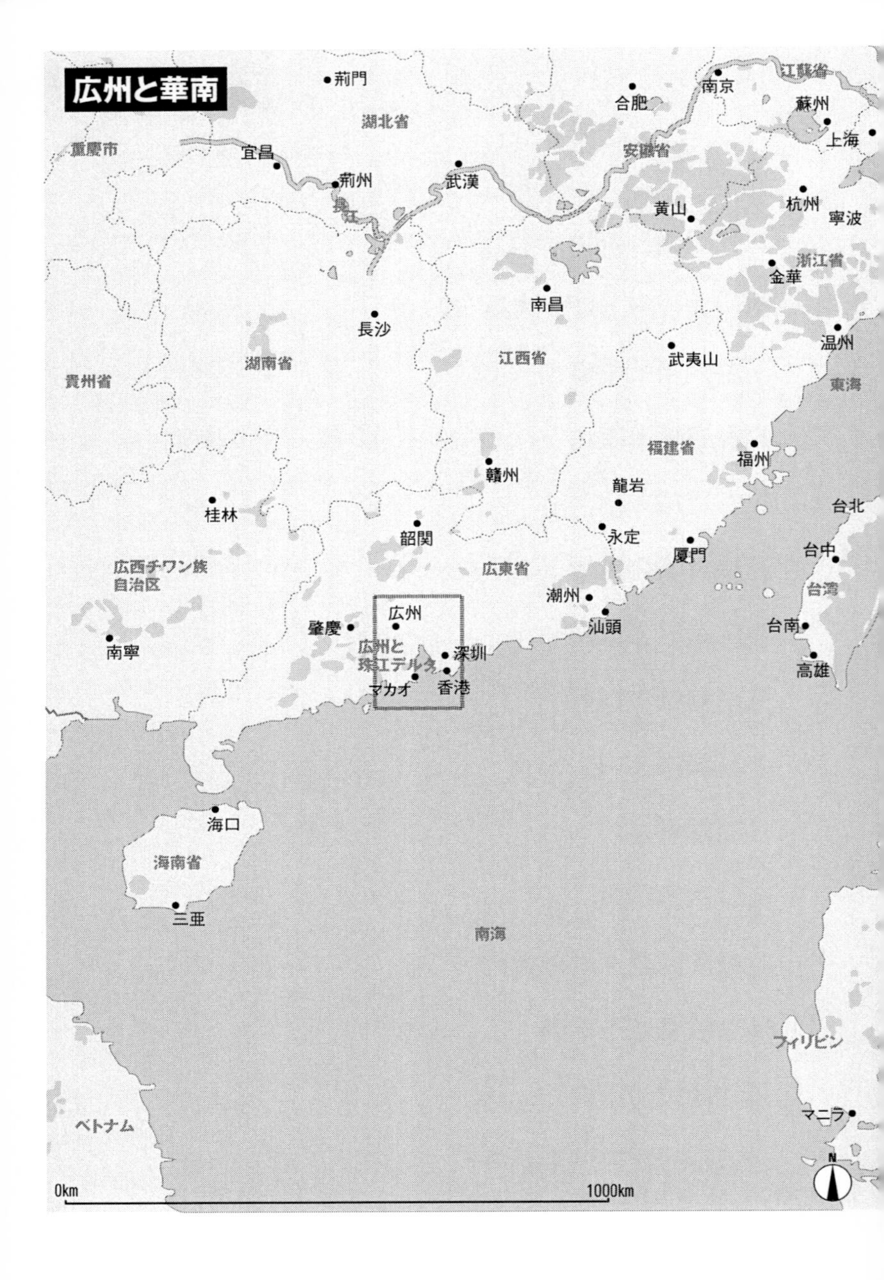
広州と華南
荊門
湖北省
南京
江蘇省
合肥
蘇州
上海
重慶市
宜昌
荊州
武漢
安徽省
長江
黄山
杭州
寧波
浙江省
金華
南昌
長沙
湖南省
江西省
武夷山
温州
貴州省
東海
福建省
福州
贛州
龍岩
台北
桂林
韶関
永定
厦門
台中
広西チワン族
自治区
広東省
潮州
台湾
広州
肇慶
汕頭
台南
広州と
珠江デルタ
深圳
南寧
マカオ
香港
高雄
海口
海南省
三亜
南海
フィリピン
ベトナム
マニラ
N
0km
1000km

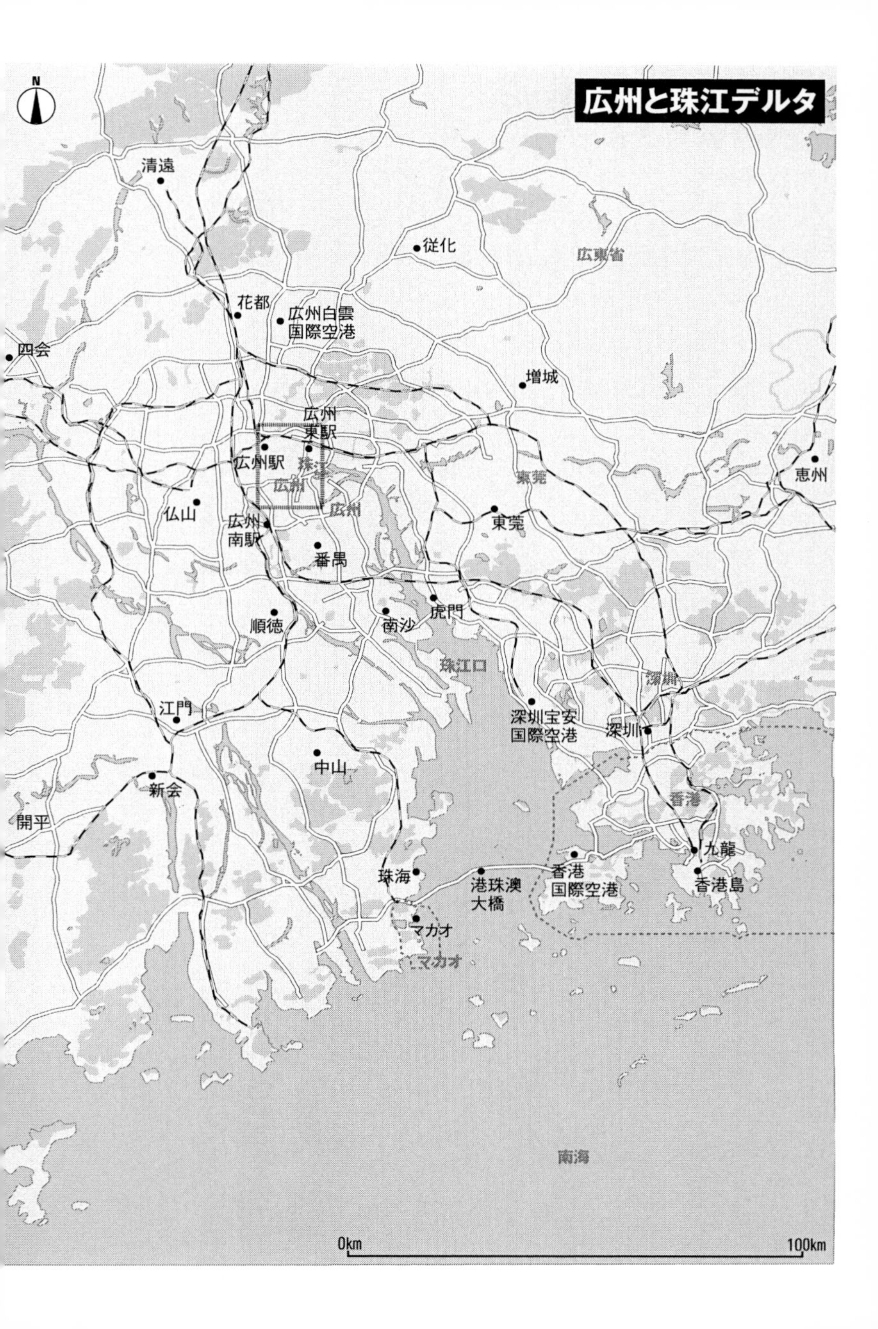
広州と珠江デルタ
N
清遠
従化
広東省
花都
広州白雲
国際空港
四会
増城
広州
東駅
広州駅
珠江
広州
恵州
東莞
仏山
広州
東莞
広州
南駅
番禺
虎門
順徳
南沙
珠江口
深圳
江門
深圳宝安
国際空港
深圳
中山
新会
香港
開平
九龍
珠海
港珠澳
大橋
香港
国際空港
香港島
マカオ
マカオ
南海
0km
100km

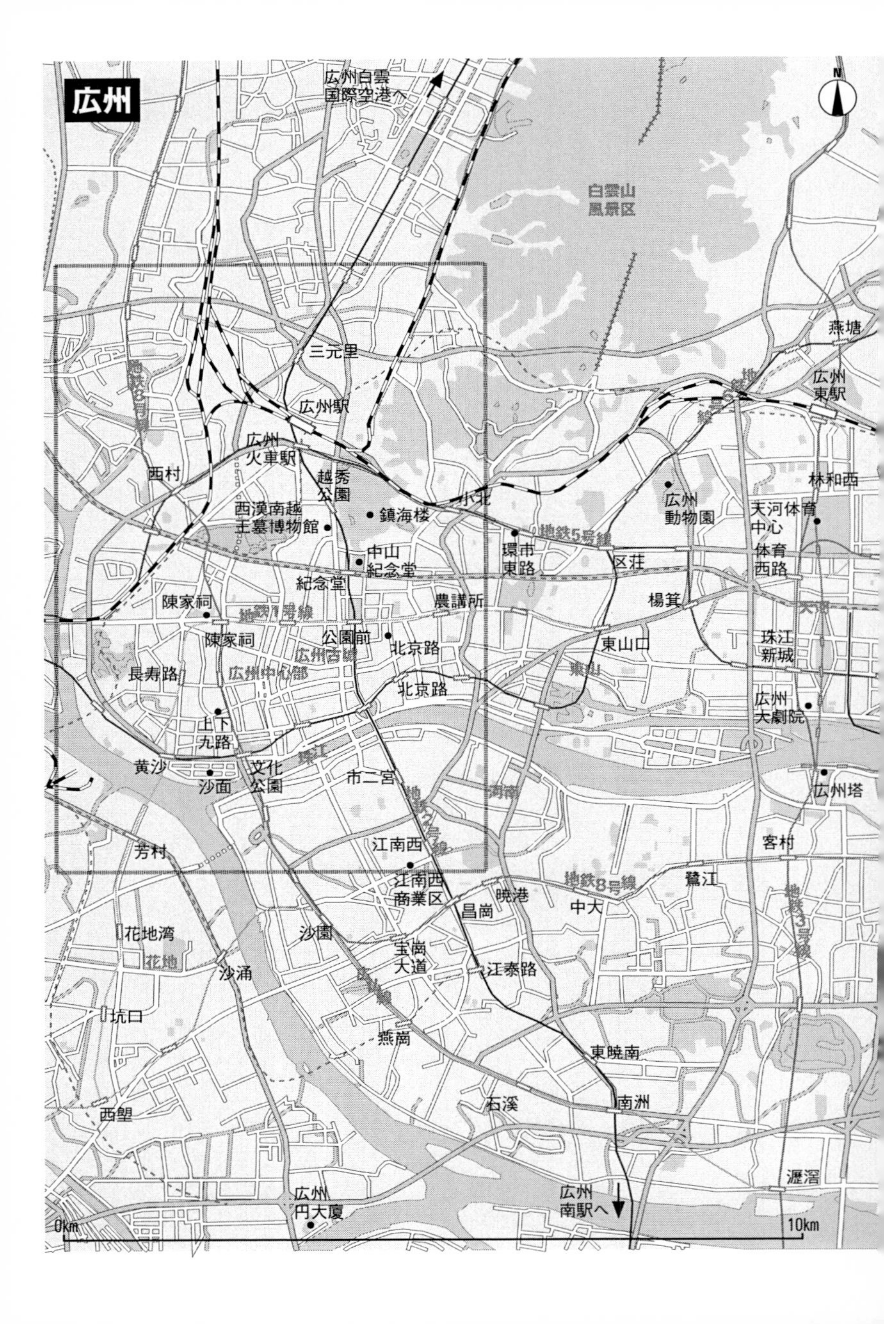

広州
広州白雲
国際空港へ
N
白雲山
風景区
三元里
燕塘
広州駅
広州
東駅
広州
火車駅
西村
越秀
公園
小北
林和西
鎮海楼
広州
動物園
天河体育
中心
西漢南越
王墓博物館
中山
紀念堂
環市
東路
地鉄5号線
区荘
体育
西路
紀念堂
陳家祠
農講所
楊箕
地鉄1号線
陳家祠
公園前
北京路
東山口
珠江
新城
長寿路
広州中心部
北京路
広州
大劇院
上下
九路
黄沙
沙面
文化
公園
市二宮
広州塔
客村
芳村
江南西
江南西
商業区
地鉄8号線
鷺江
晩港
中大
昌崗
花地湾
沙園
宝崗
大道
沙涌
江泰路
坑口
燕崗
東暁南
石溪
南洲
西塱
広州
円大廈
広州
南駅へ
瀝滘
0km
10km

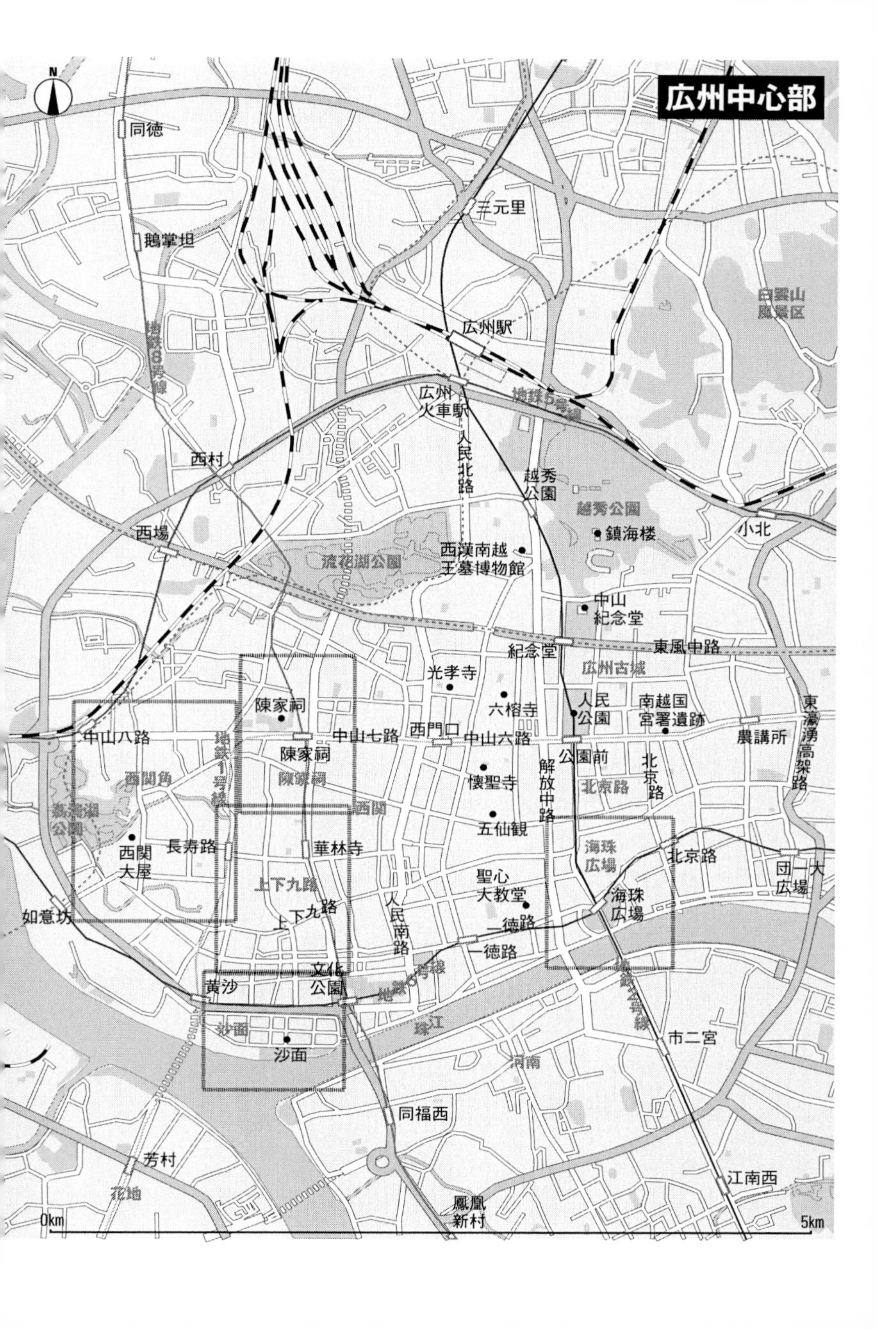

広州中心部
N
同徳
三元里
鵝掌坦
地鉄8号線
広州駅
白雲山
風景区
広州
火車駅
地鉄5号線
西村
人民北路
越秀
公園
越秀公園
西場
鎮海楼
小北
西漢南越
王墓博物館
流花湖公園
中山
紀念堂
紀念堂
東風中路
広州古城
光孝寺
六榕寺
人民
公園
南越国
宮署遺跡
陳家祠
東濠涌高架路
中山八路
中山七路
西門口
中山六路
公園前
農講所
陳家祠
地鉄1号線
解放中路
北京路
西関角
陳家祠
懐聖寺
北京路
西関
荔湾湖
公園
五仙観
西関
大屋
長寿路
華林寺
海珠
広場
北京路
団一大
広場
上下九路
聖心
大教堂
海珠
広場
如意坊
上下九路
人民南路
一徳路
一徳路
文化
公園
黄沙
地鉄6号線
沙面
珠江
地鉄2号線
沙面
市二宮
河南
同福西
芳村
花地
江南西
鳳凰
新村
0km
5km

★★★

西関／西关 シイグゥアン／サァイグゥアン

上下九商業歩行街（上下九路）／上下九商业步行街 シャンシィアジィウルウ／ソォンハァガァオソォンイッボウハンガアイ

陳家祠（広東民間工芸博物館）／陈家祠 チェンジィアツウ／チャンガアチィ

沙面／沙面 シャアミィエン／サアミィン

聖心大教堂／圣心大教堂 シェンシィンタァン／シィンサアンダアイガアウトォン

★★☆

珠江／珠江 チュウジイアン／ジュウゴォン

一徳路／一德路 イイダアルウ／ヤッダッロウ

西関大屋／西关大屋 シイガンダァウウ／サアイグゥアンダアイオ

Introduction

広州から海上絲綢之路

**アラビアやペルシャ商人から
イギリスやオランダの東インド会社まで
長らく広州は中国随一の国際都市であった**

南海交易の拠点

中国南端に位置し、南海にのぞむ広州は、海外からの船がまずたどり着く街であり、インドやアラビア、東南アジアとの交易を行なう「海のシルクロード」の窓口となってきた。始皇帝（紀元前3世紀）以前の時代から、南方産の綿花、乳香や沈香などの香木、象牙が広州に運ばれ、広州から中国の絹織物、陶磁器、茶などが輸出された。唐代（7～10世紀）にはアラブやペルシャの商人が多くこの街に暮らし、宋代（10～13世紀）になると中国のジャンク船が広州と東南アジア、インド洋のあいだを往来した（10世紀の五代十国の分裂時代に、沿海部の開発が急速に進み、広州を都とする南漢は海上交易で富を得ていた）。唐代、海上交易をになったイスラム商人の暮らした蕃坊、懐聖寺、六榕寺、光孝寺、五仙観などが広州古城の比較的近い場所に集まっているのは、この地が珠江北岸の碼頭付近にあたったことによる。広州の南海交易の中心地という性格は、宋元代に福建省泉州にその地位をゆずったこともあるが、中国史を通して続くことになった。また中国との交易を求めるポルトガルが広州近くの「マカオ」（明代）に、イギリスが「香港」（清末）に拠点を構えたという歴史もあり、中国の港町の開港を求めて起こったアヘン戦争（1840～42年）以後、広州の性格は大きく変貌した。1852年まで広州は最大の輸出港であったが、それ以降は上海や香港などに首位の座を明け渡すことになった。現在、世界的な大都市となっている中国沿岸部の、大連、青島、天津、上海、厦門といった街は、アヘン戦争以後にそれまで広州が果たしていた役割を分散し、飛躍的に発展させたとも言える。

華僑たち

華僑とは「仮住まい(僑)の中国人(華)」を意味し、原籍を中国においたまま海外に進出した中国人を意味する。華僑の存在は漢代から確認されるが、航海技術の進歩とともに海上交易が盛んになった宋元(10～14世紀)ごろから東南アジア各地で、渡航先での中国人社会(華僑社会)が成立してくる。この華僑の中心となったのは、海洋交易が古くから盛んだった、中国東南沿岸部の広東省と福建省の人たちで、華僑社会には広東、福建、潮州、客家、海南の5つの集団があったという。人口が増え、西欧が大航海時代を迎える明清時代(14～20世紀)に、この地から華僑として海を渡る人たちはより増え、「海水到るところに華僑あり」とまで言われるようになった(1840～42年のアヘン戦争の敗北で中国沿岸部の都市は開港され、香港はイギリスの植民地となったことでこれら港町から華僑が海外へ渡った)。また19世紀後半に黒人奴隷貿易が禁止され、鉄道敷設や鉱山開発にあたる労働力が不足したため、華僑の労働力が重宝された。ただその労働条件の悪さから、苦力(クーリー)とも呼ばれた。農園、鉱山、商店などで成功した者は一族を呼び寄せ、言葉の通じる同郷者同士で集住してネットワークをつくり、広東省出身の革命家孫文(1866～1925年)もハワイ華僑のひとりであった。海外で成功した華僑のなかには、中国に帰国して土地を買い、家を建て、妻をめとって故郷に錦をかざった者もいた。それらが広州西関や東山に残る大邸宅であり、清末民初の大屋、アーケード状の騎楼が広州では見られる。

近代広州の官吏や商人が建てた邸宅の西関大屋

鮮やかに装飾された屋根をもつ陳家祠

上下九商業歩行街は広州屈指のにぎわいを見せる

アーケード状の騎楼は広東省や福建省で見られる

広東料理とは

広東料理は、北京料理、上海料理、四川料理とならぶ中国四大料理のひとつで、「南淡・北鹹・東酸・西辣」というように気候、風土、物産などで異なる地方ごとの豊かな食文化をもつ。粤菜とも言われる広東料理は、南宋末にこの地に落ちのびた宮廷料理人が、南中国の豊かな物産を、漢民族の調理法をもちいてつくった料理を源流とする。広州料理（広府料理）、潮州料理（潮汕料理）、東江料理（客家料理）の系列にわかれ、広州料理は川魚を使い、潮州料理は海鮮をもちいるといった違いがある。宴会料理にかかせない「烤乳猪（子豚の丸焼き）」はじめ、「フカヒレ」「燕の巣」「干しナマコ」といった高級食材、魚やエビ、またヘビや犬、猿、ネズミなどの珍味にいたるまで、自然にあるあらゆるものを利用し、淡白な味、鮮度を重視して多様な材料を自由に調理する。広東料理では、餃子や饅頭、焼売、春巻、糕（米の餅）、餅などの点心をつまみながら、お茶を飲む飲茶も盛んで、広州には広州酒家、陶陶居、蓮香楼、北園酒家、泮溪酒家といった名店が集まっている。また南国のサトウキビ、楊貴妃の愛したライチ、台湾のポンカンの前身となった潮州みかんなどの果物も豊富で、街角では積みあげられたフルーツの様子も見られる。また日本には広東人が華僑として進出していたため、いわゆる日本の中国料理は広東料理をルーツとしていることが多く、ワンタン、スブタ、チャーシュー、シュウマイ、チャーハンなどは広東語から日本語へととり入れられた。このようなところから中国には「食は広州にあり」という言葉があり、食とともに古くから中国南方の特産品であった茶の品質や種類も豊かなところから、広州は中国屈指の飲食文化をもつ街であると言える。

西関、周縁部の構成

越秀山から北京路、そして天字碼頭にいたる広州中軸線(広州古城)を中心に広州の街は形成された。長い時間をかけて珠江の流れはより南側に遷り、明代、広州古城の南側に、新城(外城)が造営されて、広州は北京と同じく、北の内城(古城)と外城(新城)からなる体制となった。西関と呼ばれる一帯は、この広州古城と新城の西門外にあたり、明清時代の西欧の中国進出にあわせて、西関に外国商人と取引する広東十三行(商館)、続いて「沙面」に租界がおかれた。こうして、清朝末期には新たな物産や交易の中心地となった広州碼頭と、広州古城を結ぶ「上下九路」が広州屈指の繁栄を見せるようになった。また1911年の辛亥革命、珠江沿いの南関(広州古城、新城のさらに南側)に高層ビルや百貨店が建てられ、対岸の河南ともに騎楼の続く近代広州を代表する街並みが現れた。そのため、清末から1920〜30年代に中国でもっとも繁栄した当時の広州の様子は、この西関と南関に残っている。1990年以降、近代広州の歩みを伝える西関の資源や景観を活かそうと、再開発がはじまり、現在では西関大屋や永慶坊などに多くの観光客が訪れている。

Shang Xia Jiu Lu

上下九路城市案内

**上下九路は北京路とならぶ広州随一の繁華街
北京路が伝統的な広州古城の中心であったのに対し
沙面に続く上下九路界隈は清末から近代にかけて発展した**

西関／西关★★★

㊗ xī guān ㊐ sai[1] gwaan[1]
せいかん／シイグゥアン／サァイグゥアン

中国の伝統的な街は、周囲に城壁がめぐらされ、東西南北に門があり、門のすぐ外側が商業地として発展することが多かった。西関とは、広州西門のすぐ外側を意味し、広州では珠江の碼頭により近い広州西関は港町のようなにぎわいを見せてきた(南門外の場合は南関、東門外の場合は東関)。広州古城西の人民路から珠江に浮かぶ沙面や茘湾湖公園が西関の領域となり、それは広州古城全体に匹敵するほど広大な面積をもつ。またこの西関は茘湾区というまとまった行政単位となっていて、茘湾とは「ライチの実る湾」を語源とする。明清時代、西欧商人の拠点が西関珠江沿いにおかれると、そのそばの十八甫が繁栄するようになった。1937年、十八甫一帯が火事にあうと、西関商業の中心は下九路と第十甫あたりに遷り、現在の西関の原型ができあがった。こうして近代広州の繁栄を背景に、上下九路に騎楼が整備され、上下九路は北京路とならぶ広州屈指の商業街として知られるようになった。広州酒家をはじめとする広東料理の名店が軒を連ねたのもこの時代で、「食在広州、味在西関(食は広州にあり、味は西関にあり)」また「東山少爺、西関小姐(東山に住む権力者の御曹司と西関に住むお金持ちのお嬢さま)」といった言葉でも知られる。西関小姐

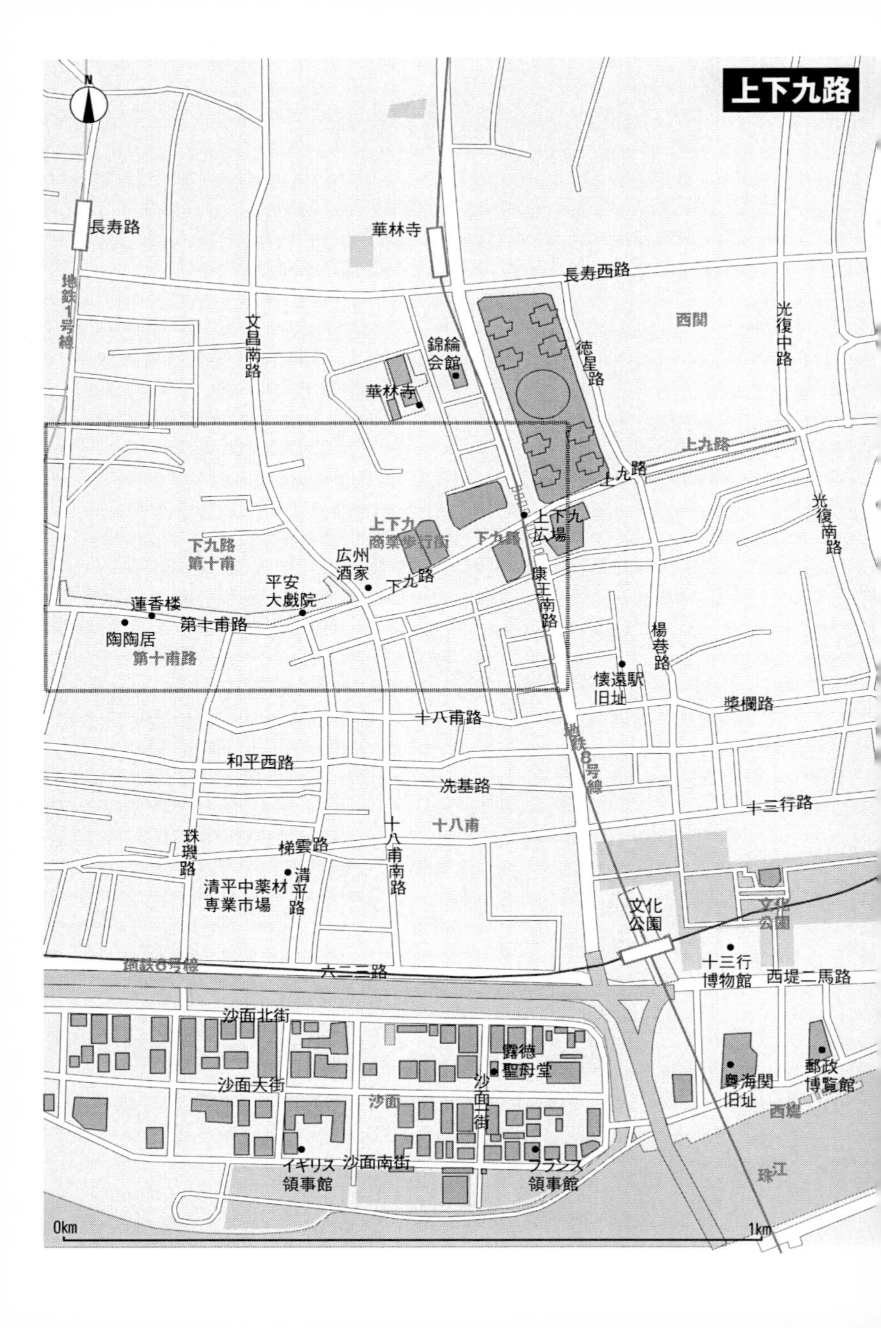
上下九路
長寿路
華林寺
長寿西路
地鉄1号線
文昌南路
錦綸会館
華林寺
西関
光復中路
徳星路
上九路
上九路
光復南路
上下九広場
上下九商業歩行街
下九路
下九路第十甫
広州酒家
下九路
平安大戯院
蓮香楼
第十甫路
陶陶居
第十甫路
康王南路
楊巷路
懐遠駅旧址
十八甫路
桨欄路
地鉄8号線
和平西路
冼基路
十三行路
十八甫
十八甫南路
珠璣路
梯雲路
清平路
清平中薬材専業市場
文化公園
文化公園
地鉄6号線
六二三路
十三行博物館
西堤二馬路
沙面北街
露徳聖母堂
沙面大街
沙面
沙面街
粤海関旧址
郵政博覧館
西堤
イギリス領事館
沙面南街
フランス領事館
珠江
0km
1km

とは女性に学歴が求められない時代に、教養があり、洗練された衣装やふるまいの西関の女性をさした。当時の広州の豪商、貴族、官僚たちは西関に豪邸を建て、それは「西関大屋」と呼ばれて現在も残る。西関の代表的存在であった上下九路と第十甫は、1995年に広州上下九路商業歩行街となり、多くの人が集まって昼夜にぎわいを見せている。

★★★
西関／西关 シイグゥアン／サァイグゥアン
上下九商業歩行街（上下九路）／上下九商业步行街 シャンシィアジィウルウ／ソォンハァガァオソォンイッボウハンガアイ
沙面／沙面 シャアミィエン／サアミィン

★★☆
下九路／下九路 シィアジィウルウ／ハァガァオロウ
広州酒家／广州酒家 グゥアンチョウジィウジャア／グゥオンジョウジャウガア
第十甫路／第十甫路 ディイシイフウルウ／ダイサッフウロウ
蓮香楼／莲香楼 リィアンシィアンロォウ／リィンホェンラァウ
華林寺／华林寺 ファリンスウ／ワァラァムジィ
錦綸会館／锦纶会馆 ジィンルゥンフゥイグゥアン／ガアンルゥンウゥイグウン
珠江／珠江 チュウジイアン／ジュウゴォン
フランス領事館（広東外事博物館）／广东外事博物馆 グゥアンドォンワァイシイボオウウグゥアン／グゥオンドォンンゴイシィボッマッグゥン
露徳聖母堂／露德圣母堂 ルウダアシェンムウタァン／ロォウダアクシィンモォウトォン
イギリス領事館／英国领事馆 イィングゥオリィンシイグゥアン／イィングゥオッリィンシィグゥン
粤海関旧址／粤海关旧址 ユゥエハァイグゥアンジィウチイ／ユッホォイグゥアンガゥジイ
十三行博物館／十三行博物馆 シィンサァンハァンボオウウグゥアン／サッサアンホォンボッマッグゥン

★☆☆
上九路／上九路 シャンジィウルウ／ソォンガァオロウ
上下九広場／上下九广场 シャンシィアジィウグゥアンチュウアン／ソォンハァガァオグゥオンチャアン
平安大戯院／平安大戏院 ピィンアンダアシイユゥエン／ペェンオンダアイヘェイユウン
陶陶居／陶陶居 タォオタァオジュウ／トォウトォウガォイ
光復中路／光复中路 グゥアンフウチョオンルウ／グゥオンフッジョンロォウ
十八甫／十八甫 シイバアフウ／サッバアトフウ
清平路／清平路 チィンピィンルウ／チィンピィンロォウ
清平中薬材専業市場／清平中药材市场 チィンピィンチョンヤァオツァイシイチャアン／チィンピィンジョンヨッチョイジュゥンイッシィチョオン
梯雲路／梯雲路 ティイユゥンルウ／タァイワァンロォウ
冼基路／冼基路 シィエンジイルウ／シィンゲエイロォウ
六二三路／六二三路 リィウアアサァンルウ／ロッイィサアンロォウ
西堤／西堤 シイディイ／サアイタァイ
郵政博覧館／邮政博览馆 ヨォウチェンボオラァングゥアン／ヤァウジィンボッラアングゥン
文化公園／文化公园 ウェンフウアゴォンユゥエン／マンファッゴォンユン
懐遠駅旧址／怀远驿旧址 フゥアイユゥエンイイジィウチイ／ワアイユゥンイッガァオジイ
槳欄路／桨栏路 ジィアンラァンルウ／ジャアンラアンロォウ

西関のかんたんな歴史

西関は長らくライチや水生植物が栽培される豊かな自然をもった景勝地であり、紀元前196年の漢代、高祖は陸賈を西関に派遣したという記録が残る。6世紀に中国に禅を伝えたインド人菩提達磨の上陸地点「西来初地（華林寺）」が西関にあるように、もともと西関一帯は、珠江の流れる川港にあたり、南海交易の拠点であった。この西関が注目されるのは明代になってからで、大航海時代を受けて中国に進出した西欧の拠点が、中国人の暮らす広州古城から離れた珠江の岸辺におかれたことによる。そして商館に暮らす西欧人と取引をする広東十三行（中国人商人）の邸宅が姿を見せ、商業街が西関にできあがった。明清時代の城壁は現在の人民路にあたり、広州古城の西門とは別に、南の広州新城西門の大平門あたりが商人でにぎわい、濠畔街清真寺が残っている。この傾向が加速するのがアヘン戦争（1840～42年）後で、沙面に租界がおかれたことで、清末民初には沙基大街（現在の六二三路）、十八甫（懐遠駅のあった場所）は広州随一のにぎわいを見せていたという。1918年、広州古城の城壁が撤去され、馬路の太平路（現在の人民路）となり、広州古城と西関はひとつながりとなった。1937年、それまで西関屈指の繁華街であった十八甫一帯が火事で焼け、新たに下九路と第十甫あたりがにぎわいを見せた（上九路と下九路はかつての濠が埋め立てられたもので、歪曲しながら伸びていく）。1930年代には国民政府のもと騎楼が整備されていき、上下九路は近代広州の繁栄を今に伝えている。

上下九商業歩行街（上下九路）／上下九商业步行街★★★

㊍ shàng xià jiŭ lù ㊖ seung3 ha3 gáu seung1 yip3 bou3 hang4 gaai1

じょうげきゅうしょうぎょうほこうがい（じょうげきゅうろ）／シャンシィアジィウルウ／ソォンハァガァオソォンイッボウハンガアイ

広州古城西門外から、並行するように珠江の北側を走り、広州屈指のにぎわいを見せる上下九商業歩行街。上下九路という名称は清代にこのあたりに第一甫から第十九甫までの19(また第十八甫までの18)の町内会のような街区「甫」があり、そのうちの上九甫と下九甫の名前に由来する。東の上九路、西の下九路、さらにその西の第十甫へと続く通りで、陶陶居、蓮香楼、趣香餅家、新華書店、広州酒家をはじめとする美食店、3000を超す店舗が軒をつらねて、「西関商廊」と呼ばれている。このあたりは6世紀に禅を中国に伝えた菩提達磨が上陸した「西来初地」で、宋代に繍衣坊(今の下九路)があり、明代に運河の大観河が開削されたことであたりは発展し、18の「甫」からなる街区のひとつがあった。そして明清時代の1406年に設置された外国商人や死者を接待する懐遠駅が、現在の下九路南側にあり、以来、広東十三行や沙面に近いこの地は発展していった。上下九路と広州古城の接続する太平門あたりには徽州会館をはじめとする会館が集まっていて、中国各地の商人でにぎわっていた。1911年の辛亥革命後から1920年代にかけて広州に都をおいた国民政府は、広州の近代都市建設を進め、清朝とは異なった騎楼と呼ばれるアーケード街を人民南路から恩寧路口のあいだの全長1218mに整備した(この騎楼は夏の日差しや雨を防げるようになっている)。1937年、十八甫一帯が火事にあったことで、西関の商業中心は下九路と第十甫あたりに遷り、日中戦争で日本が敗北すると、1940年代のなかごろに戦禍をさけて疎開していた商人が広州に戻ってきて、上下九商業歩行街に店舗を建てた。郎筠玉、靚少佳ら名優に愛された名店も多く、1995年に広州上下九路商業歩行街として整備された。高級ブランド店などが集まる伝統的な商業街の北京路に対して、こちらは比較的地元向けの服飾店や小吃店が多く、にぎわいは夜遅くまで続いている。

上下九路の構成

古城と新城をわける現在の大徳路から続き、広州古城の

珠江沿岸
西関
五仙観
大仏寺
北京路
広州古城
華林寺
長寿路
北京路
団一大広場
華林寺
上九路
恩寧路
下九路第十甫
聖心大教堂
海珠広場
地鉄1号線
地鉄8号線
地鉄6号線
上下九商業歩行街
一徳路
地鉄2号線
文化公園
黄沙
珠江
沙面
沙面
市二宮
0km
3km
長寿路
華林寺
長寿西路
黄宝堅石屋
錦綸会館
地鉄1号線
地鉄8号線
華林寺
華林寺玉器街
荔湾広場
西関
文昌南路
西来初地
康王南路
順記氷室
五眼古井
四会会館旧址
上下九広場
宝華路
下九路
下九路
皇上皇臘味店
広州酒家
南信牛奶甜品専家
平安大戯院
鶴鳴鞋帽商店
趣香餅家
蓮香楼
陶陶居
第十甫路
上下九商業歩行街
第十甫路
十八甫北路
大同路
珠璣路
十八甫
十八甫路
下九路第十甫
和平西路
0m
500m
N

太平門(西門)外側を湾曲しながら東西に走る上下九路。この通りが北京の王府井や上海の南京東路と違って曲がっているのは、広州古城の西濠涌につながるかつての水路にそっていることによる(明代に開削された運河の大観河が整備されて繁栄したが、やがて埋もれていった)。より広州古城に近い東側が上九路、より遠い西側が下九路で、このふたつの通りにくわえて第十甫路、宝華路、康王路をふくむ一帯を「上下九商業歩行街」と呼ぶ。現在は上九路と下九路のまじわる地点に康王路が南北に走り、そこに上下九広場、荔湾広場、東急新天地といった大型ショッピングモールが集まる中心地となっている。上下九広場の北側には菩提達磨が6世紀にはじめて禅を伝えた「西来初地(華林寺)」、また上下九広場の南側には明代の対外窓口だった懐遠駅がおかれていた。上下九広場を西

★★★

西関／西关 シイグゥアン／サァイグゥアン

上下九商業歩行街(上下九路)／上下九商业步行街 シャンシィアジィウルウ／ソォンハァガァオソォンイッボウハンガアイ

★★☆

下九路／下九路 シィアジィウルウ／ハァガァオロウ

広州酒家／广州酒家 グゥアンチョウジィウジャア／グゥオンジョウジャウガア

第十甫路／第十甫路 ディイシイフウルウ／ダイサッフウロウ

蓮香楼／莲香楼 リィアンシィアンロォウ／リィンホェンラァウ

華林寺／华林寺 ファリンスウ／ワァラァムジィ

錦綸会館／锦纶会馆 ジィンルゥンフゥイグゥアン／ガアンルゥンウゥイグゥン

★☆☆

上下九広場／上下九广场 シャンシィアジィウグゥアンチュウアン／ソォンハァガァオグゥオンチャアン

皇上皇腊味店／皇上皇腊味店 フウアンシャンフウアンラアウェイディエン／ウォンソォンウォンラアッメイディム

鶴鳴鞋帽商店／鹤鸣鞋帽商店 ハアミィンシィエマオシャンディエン／ホッミィンハアイモウソォンディム

平安大戯院／平安大戏院 ピィンアンダアシイユゥエン／ペェンオンダアイヘェイユウン

陶陶居／陶陶居 タォオタァオジュウ／トォウトォウガォイ

趣香餅家／趣香饼家 チュウシィアンビィンジィア／チョイホェンベエンガア

南信牛奶甜品専家／南信牛奶甜品专家 ナァンシィンニィウナァイティエンピィンチュウアンジィア／ナアムサアンンガウナアイティンバアンジュウンガア

西来初地／西来初地 シイラァイチュウディイ／サアイロォイチョオデェイ

華林玉器街／华林玉器街 フゥアリィンユウチイジィエ／ワァラァムユッヘイガアイ

五眼古井／五眼古井 ウウイェングウジィン／ンンガアングウゼェン

黄宝堅石屋／黄宝坚石屋 フウアンバァオジィエンシイウウ／ウォンボオウギインセッオッ

宝華路／宝华路 バァオフゥアルウ／ボォウワァロォウ

順記氷室／顺记冰室 シュンジイビィンシイ／シュンゲェイビインサッ

十八甫／十八甫 シイバアフウ／サッバアトフウ

に進むと下九路となり、十八甫北路とまじわり、そこに広東料理の名店広州酒家が立つ。それよりさらに西が第十甫路で、この通りには蓮香楼、陶陶居などの名店が軒をつらねている。この東西の通りと西側でまじわるのが宝華路で、これより西は民国初期に豪商たちが邸宅を構えた西関大屋がならんでいる。

上九路／上九路★☆☆

㊗ shàng jiǔ lù ㊛ seung³ gáu lou³

かみきゅうろ／シャンジィウルウ／ソォンガァオロウ

広州古城西門（新城西門の太平門）すぐ外の人民南路から徳星路までを走る上九路。唐宋時代には、このあたりは珠江北側の岸辺にあたり、その後の明代に開削された大観河の北岸でもあった。明清時代に西関が発展すると、上九路には宝石店や綿布店がならんでいた。現在は長さ330m、幅17mの通りで、上下九商業歩行街の東部分を構成する。上九路という名称はかつての上九甫（街区）に由来する。

下九路／下九路★★☆

㊗ xià jiǔ lù ㊛ ha³ gáu lou³

しもきゅうろ／シィアジィウルウ／ハァガァオロウ

上下九商業歩行街のちょうど中心部、徳星路から第十甫まで長さ417m、幅17mの繁華街の下九路。ここは6世紀に菩提達磨が上陸した「西来初地」でもあり、宋代、下九路一帯には繍衣坊という西関でもっとも早い商業街が形成されていた。明代、大観河（西関発展の契機になった運河）が開削されると、ここは19あった「甫（街区）」のひとつとして発展していき、大観河北岸の第九甫のうち、広州古城により近いほうを上九甫、より遠いほうを下九甫と呼んだ。ここは清代、外国との貿易を一手に引き受ける広東十三行の大商人梁京兆の豪邸があったところで、この梁氏から出た梁経国の邸宅は「下九梁（下九路にある梁氏の豪邸）」と通称された。清朝末期、下九甫繍

広州の有名店が集まる上下九商業歩行街

騎楼空間には人びとの生活が息づく

西関は辛亥革命以後の民国時代に発展した(写真は孫文像)

上九路と下九路の結節点に近い上下九広場

衣坊に広州財界の大物の集まる文瀾書院があり、広州経済の方針がここで決められ、1911年の辛亥革命の革命派への合流についても文瀾書院で話しあわれた。1937年、それまで一番の繁華街であった十八甫が火事でやけると、この下九路あたりに商業中心が遷り、日中戦争(1937～45年)後、下九路の北側には鶴鳴鞋帽商店をはじめ、靴店や寝具店などが集まっていた。やがて内陸部に避難していた中国商人が広州に戻ってきて、下九路に百貨店や衣料店を構え、北京路とならぶ広州屈指の繁華街として知られるようになった。

騎楼とは

騎楼とは「歩道に騎(またが)る楼(建物)」を意味し、通りの両脇にアーケードをもった歩道のことをさす。この騎楼は、19世紀のイギリス植民地であったインドやシンガポールが発祥であるとも、海を渡った華僑が西欧の回廊建築をまねたのがはじまりとも言われる。中国では海南省海口で最初に導入されたといい、広州ではじめて騎楼がつくられたのは1912年だという。1911年の辛亥革命で清朝に替わり、広州を拠点とした国民政府が、都市計画を進める必要性、時代の変革を強調する狙いもあって、1920～30年代に広州で広がっていった。風雨を避け、夏の日差しをふせぐ騎楼は中国東南沿岸部との相性がよく、広東省や福建省で発達し、そこから華僑の進出した東南アジアでも同様の騎楼が残っている。騎楼をもつ街並みでは、1階に店舗があり、上層階が住宅となっている。柱が連続する騎楼空間は、店の一部になっていたり、人びとが談笑していたり、バイクをとめていたり、公共空間と私的空間があわさった独特な空間が広がっている。

飲茶（ヤムチャ）とは

点心をつまみながら、中国茶を飲む「飲茶」は広州や香港の代名詞とも言える。広州では「一日三茶」といって、1日で二度の食事と三度の飲茶をとる習慣があり、まず朝起きて1回目のお茶を飲むと、9時ごろ朝食をとる。その後、午後1時ごろに2回目のお茶を飲み、午後5時ごろ夕食を食べる。そして夜の9時ごろ3回目のお茶を飲む。このあいだに点心（おやつ、小吃）を食べるため、広東料理では饅頭、餃子、焼売、春巻、馬拉糕などの点心が発達した。飲茶は茶楼ですませることが多く、茶楼には高級茶楼から庶民向け茶楼まであり、娯楽、談笑、商談、社交場の場となってきた（茶楼で演劇などが演じられることも多かった）。陶陶居（1880年開業）、蓮香楼（1889年開業）、広州酒家（1935年開業）、皇上皇腊味（1940年開業）といった老舗が上下九商業歩行街に位置する。

上下九広場／上下九广场★☆☆

㊗ shàng xià jiǔ guǎng chǎng ㊛ seung³ ha³ gáu gwóng cheung⁴

じょうげきゅうひろば／シャンシィアジィウグゥアンチュウアン／ソォンハァガァオグゥオンチャアン

東西を走る上下九商業歩行街と、南北を走る康王路のまじわる地点に位置するショッピングモールの上下九広場。上下九広場は上九路と下九路が接続する地でもあり、あたりは荔湾広場、東急新天地が集まり、広州でもっともにぎわうエリアとなっている（清代、広東十三行の大商人梁京兆の邸宅「下九梁」が、荔湾広場の地にあった）。この上下九広場は、北広場と南広場からなり、大型スクリーンに映像が映し出され、夜にはまばゆいネオンを放っている。また西関の歴史や文化を紹介する「西関文化展示長廊」、西関の民俗模様をテーマとした「門前倩影」「戯無益」「落雨大」「量衣」「新年大吉」といった彫像群が見られる。

1920～30年代の広州は清代までの街並みから一変した

上部に見晴らし台をそなえる平安大戯院

広州屈指の飲茶の名店、蓮香楼にて

上下九路は北京路とならぶ広州の繁華街

広州酒家／广州酒家★★☆

㊗ guǎng zhōu jiǔ jiā ㊝ gwóng jau¹ jáu ga¹

こうしゅうしゅか／グゥアンチョウジィウジャア／グゥオンジョウジャウガア

「食在広州」の文言が見える広州酒家は広州でも知られた老舗料理店で、代表的な広東料理を食することができる。古くこの場所には西関文昌廟と洪聖廟があったが、1921年に馬路建設のためにそれらは排斥された。その後の1935年、商人の陳星海と余漢謀が西南酒家を開業し、「南国厨王」と呼ばれた鐘権や名コックの梁瑞を迎えて、「西南文昌鶏」など、色、味、形にこだわった名菜の数々を送り出した。1938年、戦禍を受けてその後、重建されて1939年に再び開店し、そのときから広州酒家という名称になった（「西南文昌鶏」は「広州文昌鶏」となった）。国民党の要人や会社経営者などの会合にたびたび利用されるなど、広州の近現代史とともに歩み、「食在広州第一家」とたたえられた。1949年に中華人民共和国が成立すると、贅沢な食材を使わない質素な料理も出すようになり、食糧が不足した1950年代末から60年代には限られた食材のなか、9品からなるサツマイモづくしの宴会料理を400人分提供したことでも知られる。現在は、広東料理の名菜を出す広州を代表する老舗として開店している。

皇上皇腊味店／皇上皇腊味店★☆☆

㊗ huáng shàng huáng là wèi diàn ㊝ wong⁴ seung³ wong⁴ laap³ mei³ dim²

こうじょうこうろうめいてん／フゥアンシャンフゥアンラアウェイディエン／ウォンソォンウォンラアッメイディム

ソーセージやベーコンなど、肉の燻製商品をあつかう皇上皇腊味店。1940年に謝昌が海珠南路で開業した東昌腊味店を前身とし、醤油の香りや風味（腊味）で話題となった。1943年、皇上皇と名称を変え、広州を代表する名店に成長し、「孔旺記」「香腸先生」とあわせてひとつの会社として営業している。

第十甫路／第十甫路★★☆

㊗ dì shí fŭ lù 広 dai[3] sap[3] fú lou[3]

だいじゅうほろ／ディイシイフウルウ／ダイサッフウロウ

東西に続く上下九商業歩行街のうち、下九路の西側に位置する第十甫路。1937年、それまで繁華街だった十八甫一帯が、火事にあい、西関の商業中心は下九路と第十甫あたりに遷った。長さ460m、幅18mほどで、陶陶居、蓮香楼、趣香餅家、新華書店、広州酒家などの老舗が軒をつらね、下九路にくらべて庶民のにぎわいが濃厚になってくる。第十甫路では百歩歩けば、粥、面、点心を出す小吃店に出くわすとも言われ、道の両側から大きく看板が張り出している。

「甫（舗）」とは

「甫(舗)」とは街区のことであり、西関の上下九商業歩行街一帯には、十八甫や十三甫といった特徴的な地名が残っている。明代の1449年、黄蕭養の乱(農民反乱)が起こり、広州の街は危機に陥った。このとき広州古城外の西関に暮らす商人や住人は水路にそって、ひとつの街路をつくり、街柵を立てて自衛組織をつくった。この街柵で囲まれたひとつの町内が「甫(舗)」で、通りの両端には門があり、夜になると門は閉まった。当初、第一甫、第二甫、第三甫というような街区があり、明代に開削された大観河(運河)の北岸に第九甫(上九甫、下九甫)、第十甫などがあった。その後、珠江の南遷にともなって、十五甫、十六甫、十七甫、十八甫というように通りの名前が増えていった。清朝末期には広州には300以上の「甫」があり、西関にはもっとも多くの「甫」が集まっていたという。「甫」という名前の由来に関してはいくつかの説があり、「甫」は古い広東語で小さな村を意味するというもの、広東語では「甫」と「舗」は近い音で店舗から転用されたというもの、ここは珠江の碼頭(埗頭)であり、十八甫あたりには桟橋があり、第一埗、第二埗、第三埗というように「甫」と音の近い10の埗頭（碼頭）があったことに由来するというものがある。

鶴鳴鞋帽商店／鹤鸣鞋帽商店★☆☆

㊗ hè míng xié mào shāng diàn ㊖ hok³ ming⁴ haai⁴ mou³ seung¹ dim²

かくめいあいぼうしょうてん／ハアミィンシィエマオシャンディエン／ホッミィンハアイモウソォンディム

鶴鳴鞋帽商店は広州を代表する老舗帽子店で、店名は『詩経』「鶴鳴九皐、声聞于天（優れたものは、どんな場所にいてもその名声は天に届く）」の故事からとられている。1940年代に上海で一世を風靡した鞋帽商店を前身とし、1948年、8番目の支店として広州下九路で開業した。当時、ファッショナブルな上海製の帽子や靴が広州や香港の人にも支持され、広州屈指の帽子店、靴店として知られていた。1957年に鶴鳴鞋帽商店という店名になって現在にいたる。

平安大戲院／平安大戏院★☆☆

㊗ píng ān dà xì yuàn ㊖ ping⁴ on¹ daai³ hei² yún

へいあんだいぎいん／ピィンアンダアシイユゥエン／ペェンオンダアイヘェイユウン

上下九商業歩行街の十甫路に立つ1953年創建の平安大戲院。粤劇、曲芸などが演じられ、広州の芸能活動の中心となってきた。4層からなる建築で、前面には騎楼をもつ。

陶陶居／陶陶居★☆☆

㊗ táo táo jū ㊖ tou⁴ tou⁴ geui¹

とうとうきょ／タォオタァオジュウ／トォウトォウガォイ

清朝光緒年間の1880年開業で、広州を代表する広東料理店の陶陶居。もともと葡萄居という名称だったが、「楽也陶陶（喜びも陶陶）」の言葉をとって現在の名前になった。「月餅泰斗」と呼ばれるほど豊富な種類の月餅を出し、白雲山の水を使ったお茶のおいしさも知られる。康有為、魯迅、巴金などの著名人がここ陶陶居で飲茶を楽しみ、通りをはさんで斜め向かいの蓮香楼とともに広州を代表する老舗として知られてきた。黒漆塗りの金色の看板、赤い壁と緑の屋根瓦、上部の六角亭閣をもつ外観となっている。

蓮香楼／莲香楼★★☆

㊗ lián xiāng lóu ㊍ lin⁴ heung¹ lau⁴

れんこうろう／リィアンシィアンロォウ／リィンホェンラァウ

蓮の実を使うお菓子を得意とすることから、その名前がつけられた「蓮蓉第一家」蓮香楼。点心や月餅などのお菓子、とくに蓮の実をペーストした月餅は中国内外で知られている。月餅は唐代の宮廷で最初に食べられはじめ、一般には五代十国時代に知られるようになり、元代、華北一帯で親しまれていた。明清時代、華中、華南にも伝わり、広東風、北京風、蘇州風、寧波風の4種類が代表的な月餅となっていた。蓮香楼は清代の1889年に広州西関の第十甫で「連香楼」として開業し、蓮蓉食品を販売していた。1910年、翰林学士の陳如山がこの店のお菓子を食べて、草冠をつけるように提案し、以来、「蓮香楼」として営業している。点心と月餅の味、種類の豊富さで人気を博し、陶陶居とともに広州を代表する飲茶の名店として知られている（北京路や上下九路に店舗がある）。中華民国時代の1918年に蓮香楼は香港に進出して分家を開いた。

趣香餅家／趣香饼家★☆☆

㊗ qù xiāng bǐng jiā ㊍ cheui² heung¹ béng ga¹

しゅこうべいか／チュウシィアンビィンジィア／チョイホェンベエンガア

名店が集まる第十甫の一角に立つ、小吃店の趣香餅家。1930年代創業の仏有縁商店をはじまりとし、軽食や食料品、雑貨などを販売し、素食菜館の菜根香もこの店から仕入れていたという。1938年、第十甫に進出して、「サクサクして香ばしい（又脆又香）」お菓子を出すという意味で、趣香餅家と改名した。中国と西欧のお菓子、カスタードとラードを使ったケーキなどで広州の官吏やその妻たちに愛された。

エッグタルトなどのお菓子もおいしい

食は広州にあり、と日本語で書かれた広州酒家

上下九広場に立つ馬の彫像

通りの両端から突き出した派手な看板が続く

南信牛奶甜品専家／南信牛奶甜品专家★☆☆

㊗ nán xìn niú nǎi tián pǐn zhuān jiā ㊛ naam⁴ seun² ngau⁴ naai, tim⁴ bán jyun¹ ga¹

なんしんぎゅうないてんぴんせんか／ナァンシィンニィウナァイティエンピィンチュウアンジィア／ナアムサアンンガウナアイティンバアンジュウンガア

ミルク（牛奶）を使った牛乳デザートショップの南信牛奶甜品専家。1934年、順徳大良で創業した大良南信を前身とするが、その後の1939年に広州第十甫で開店した。ミルク、卵白、砂糖などを混ぜて二重に煮込んだなめらかな牛乳プリン（双皮奶）で知られる。この二重の層からなる牛乳プリンは、初日にあまった牛乳の表面に1枚の層（皮）ができているのを発見し、2日目にさらに上にミルクをかけるともう1枚の層ができていて、それを食べると、とてもおいしかったことで商品化された。

BURGER KING
BLUE BEAR 蓝熊鲜奶

Hua Lin Si

華林寺城市案内

**中国に禅を伝えたインドの仏僧達磨
その上陸地点を西来初地と呼ぶ
ここはかつての珠江の岸辺にあたった**

西来初地／西来初地★☆☆

㊗ xī lái chū dì ㊛ sai[1] loi[4] cho[1] dei[3]

せいらいしょち／シイラァイチュウディイ／サアイロォイチョオデェイ

華林寺の立つ下九路にほど近い西来正街一帯を、「西来初地(西方から来た菩提達磨がはじめて足跡を残した地)」と呼ぶ。隋代以前はこの場所が珠江北岸にあたり、南朝梁の526年ごろ、インドの仏僧菩提達磨がこの碼頭に上陸した。菩提達磨はここに庵を結んで、西来庵が建てられた。達磨は南京で梁の武帝に禅を教えたのち、やがて去って洛陽の嵩山少林寺に入り、「面壁九年」の伝説から赤い服で座禅する達磨の姿(人形)で知られるようになった。中国禅宗の祖であり、臨済宗の栄西、曹洞宗の道元がその系譜をもち帰ったことから、日本禅宗の祖でもある。このあたりには、西来後街、西来西街、西来新街、西来東街というように、菩提達磨ゆかりの地名(西来)が残っている。

華林玉器街／华林玉器街★☆☆

㊗ huá lín yù qì jiē ㊛ wa[4] lam[4] yuk[3] hei[2] gaai[1]

かりんぎょっきがい／フゥアリィンユウチイジィエ／ワァラァムユッヘイガアイ

翡翠、玉器をはじめとする美しい宝石をあつかう店舗が集まる華林玉器街。華林寺への門前町の通りで、清朝の光緒帝(在位1874～1908年)時代から玉器や民間工芸品の集散地で

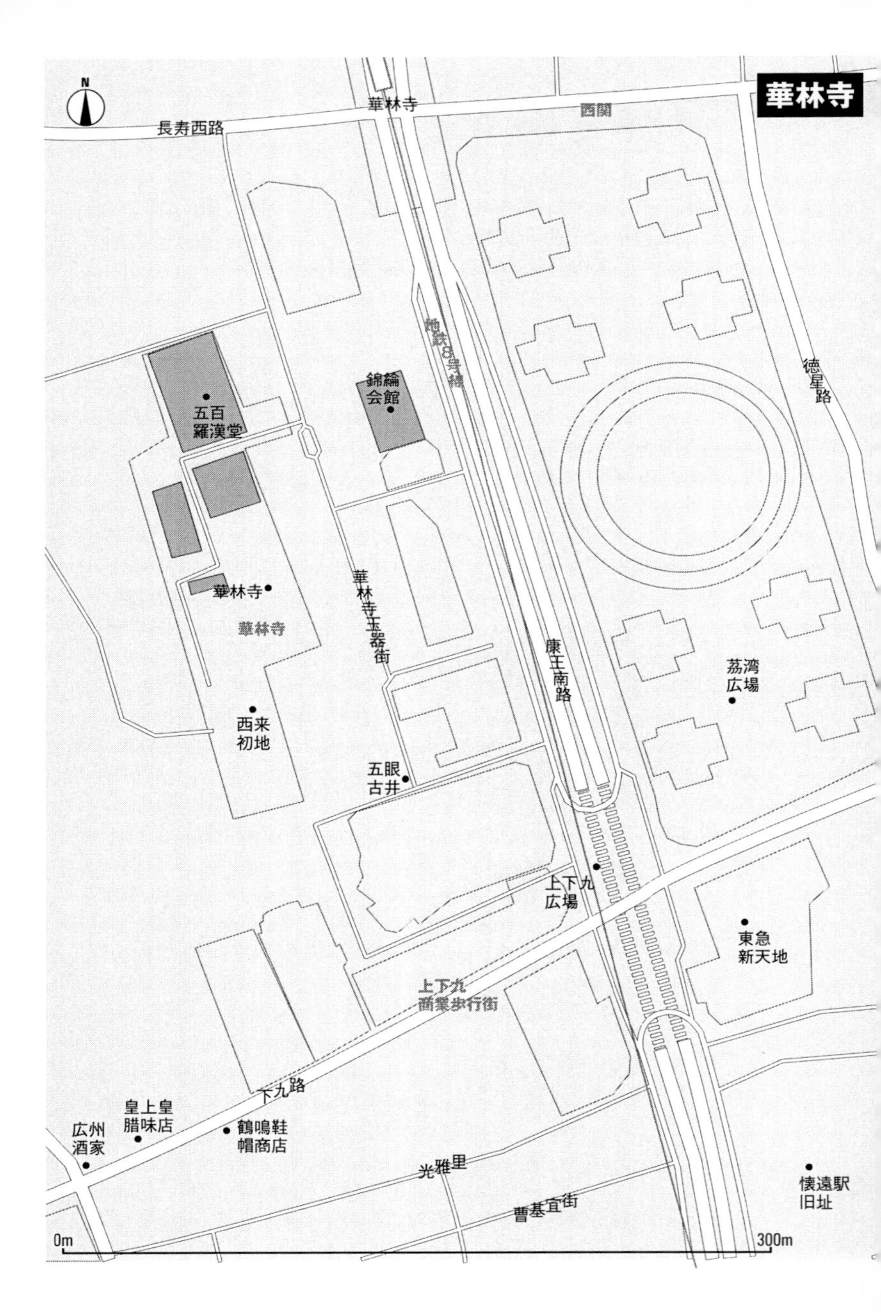

華林寺
N
長寿西路
華林寺
西関
徳星路
五百
羅漢堂
錦綸
会館
地鉄8号線
華林寺
華林寺
華林寺玉器街
康王南路
荔湾
広場
西来
初地
五眼
古井
上下九
広場
東急
新天地
上下九
商業歩行街
下九路
皇上皇
腊味店
広州
酒家
鶴鳴鞋
帽商店
光雅里
曹基宜街
懐遠駅
旧址
0m
300m

あった。全長500mで牌楼が立つ。

華林寺／华林寺★★☆

㊗ huá lín sì ㊎ wa[4] lam[4] ji[3]

かりんじ／ファリンスウ／ワァラァムジィ

光孝寺、六榕寺、海幢寺とならぶ広州四大仏教叢林のひとつで、上下九路すぐそばに立つ古刹の華林寺。禅をはじめて中国に伝えた菩提達磨（ボーディダルマ）ゆかりの寺として知られる。菩提達磨は南インドのバラモン出身の仏教僧で、海路で3年をかけて南朝梁の527年ごろ、広州に到着した。達磨は当時の港があった華林寺あたりに上陸して、広州で庵を結んだ。達磨が西方からはじめて来た場所という意味で、あたりを「西来初地」と呼ぶ。達磨には、中国仏教が経典中心に傾斜するのを正す目的があったといい、自己の仏性を内観することを目的とする仏教の一派「禅」を伝え、中国禅宗の祖となった（達磨の教えは正法眼蔵と言われ、ブッダが霊鷲山で説いた内容を集約する）。この菩提達磨の527年ごろの来訪とともに、華林寺の歴史ははじまり、隋、唐、宋、明、清とつねに修建を繰り返してきた。清初の1654年に福建省の仏教僧が訪れて

★★★

西関／西关 シイグゥアン／サァイグゥアン

上下九商業歩行街（上下九路）／上下九商业步行街 シャンシィアジィウルウ／ソォンハァガァオソォンイッボウハンガアイ

★★☆

華林寺／华林寺 ファリンスウ／ワァラァムジィ

錦綸会館／锦纶会馆 ジィンルゥンフゥイグゥアン／ガアンルゥンウゥイグゥン

下九路／下九路 シィアジィウルウ／ハァガァオロウ

広州酒家／广州酒家 グゥアンチョウジィウジャア／グゥオンジョウジャウガア

★☆☆

西来初地／西来初地 シイラァイチュウディイ／サアイロォイチョオデェイ

華林玉器街／华林玉器街 フゥアリィンユウチイジィエ／ワァラァムユッヘイガアイ

五百羅漢堂／五百罗汉堂 ウウバァイルゥオハァンタァン／ンバアッロォホォントォン

五眼古井／五眼古井 ウウイェングウジィン／ンンガアングウゼェン

上下九広場／上下九广场 シャンシィアジィウグゥアンチュウアン／ソォンハァガァオグゥオンチャアン

皇上皇臘味店／皇上皇腊味店 フゥアンシャンフゥアンラアウェイディエン／ウォンソォンウォンラアッメイディム

鶴鳴鞋帽商店／鹤鸣鞋帽商店 ハアミィンシィエマオシャンディエン／ホッミィンハアイモウソォンディム

懐遠駅旧址／怀远驿旧址 フゥアイユゥエンイイジィウチイ／ワアイユゥンイッガァオジイ

華林寺と改称され、清朝では皇室から重用されて、第3代順治帝、第4代康熙帝からの寄進を受けた。華林寺の境内には、この寺の創始者である菩提達磨の像が安置されている「祖師殿」、1701年につくられた7層、高さ7mの「舎利塔」、金色の五百羅漢像がならぶ「羅漢堂」が位置する。達磨像は高さ6.88m、重さ10トンで世界最大のものだという。中国禅はこの菩提達磨を初祖とし、広州光孝寺に拠点を構えた六祖慧能にいたり、この系譜から日本の栄西や道元へ禅が伝わった。

五百羅漢堂／五百罗汉堂★☆☆

㊀ wǔ bǎi luó hàn táng ㊁ ng, baak[2] lo[4] hon[2] tong[4]
ごひゃくらかんどう／ウウバァイルゥオハァンタァン／ンバアッロォホォントォン

華林寺には他の仏教寺院のように大雄宝殿(本殿)がなく、この五百羅漢堂がそれにあたる。五百羅漢堂は幅31m、奥行44mで、清代の道光年間(1820〜50年)に、杭州浄慧寺からもってきた羅漢図をもとに建てられた。この五百羅漢のなかの1体に冒険家マルコ・ポーロのものだと言われるものもある。堂の北側には、高さ1mちょっとの三尊大仏が立つ。

五眼古井／五眼古井★☆☆

㊀ wǔ yǎn gǔ jǐng ㊁ ng, ngaan, gú jéng
ごがんこせい／ウウイェングウジィン／ンガアングウゼェン

五眼古井は、西来初地に残る広州九大名井(井戸)のひとつで、達摩井とも呼ぶ。5つの泉眼から泉がわいているために、この名前となり、五眼古井の水を飲むと目の疾病にいいという。五眼古井のそばに桐君廟碑が立つ。

錦綸会館／锦纶会馆★★☆

㊀ jǐn lún huì guǎn ㊁ gám leun[4] wui[3] gún
きんりんかいかん／ジィンルゥンフゥイグゥアン／ガアンルゥンウゥイグウン

清代雍正年間の1723年に建てられた、絹織り産業に従事

だるまさんこと菩提達磨がここで禅を伝えた

西来初地に立つ華林寺

清代以来の華林玉器街

本当の仏教とは何か？　を姿勢で示した

する商人のための錦綸会館。情報収集や相互扶助を行なうギルド的存在であり、広州西関の繊維産業の栄華を今に伝えている。幅22.1m、奥行38.5mからなる三路三進の祠堂建築で、灰色のレンガの外壁、黒の切妻屋根をもつ。屋根上には嶺南地方特有の芸術である、鑊耳屋と呼ばれる波を描く装飾が見られる。この錦綸会館は何度も修建されて、2001年に現在の姿となった。

黄宝堅石屋／黃宝坚石屋★☆☆

㊗ huáng bǎo jiān shí wū ㊘ wong4 bóu gin1 sek3 uk1

こうほうけんせきおく／フゥアンバァオジィエンシイウウ／ウォンボオウギインセッオッ

黄宝堅石屋は、清末民初に西関の善堂(愛育堂)の医師として活躍した黄宝堅の住まい。文昌南路敬善里に位置し、辛亥革命の翌年の1912年に建てられた。3階建て、花崗岩製の石づくりの建築は、石室天主教堂と粤海関大楼とともに現存する3つの石屋(石の建築)のひとつとして知られる。

Chen Jia Ci

陳家祠城市案内

嶺南建築の精華とも言える陳家祠
華南一帯で発展した宗族によるものであり
広州を象徴する建築のひとつとなっている

陳家祠（広東民間工芸博物館）／陈家祠★★★

㊓ chén jiā cí ㊟ chan4 ga1 chi4

ちんかし（かんとんみんかんこうげいはくぶつかん）／チェンジィアツウ／チャンガアチィ

華南最大規模、豪勢で、きらびやかな清代嶺南建築の傑作にあげられる陳家祠（陳氏書院、広東民間工芸博物館）。この陳家祠は、アヘン戦争後に外交官であった陳蘭彬の提唱で、広東省72県の陳姓の資金を集めて、一族共通の祠堂として1888～93年に建てられ、陳一族共通の始祖である漢代の太邱太祖（河南省）こと陳実（103～186年）をまつっている。広州での科挙の試験のとき、陳一族がここ陳家祠に宿泊したのをはじめ、学ぶための書院、裁判や相互扶助を行なう場所で、広東省の陳姓は一定量の金銭を支払えば、陳家祠を利用でき、祭祀に参加できた（明清時代に商業が発展すると、地方の人間は広州での住居を探す必要があった）。1905年に科挙制度がなくなると、1915年、陳家祠は学校の校舎となり、1928年、広東体育学校がおかれた。1935年、陳氏文範中学として利用され、その後の1959年、広東民間工芸博物館として開業し、文化大革命がはじまった1966年に工場に転用された。改革開放後の1983年に修復され、1万3000平方メートルもの広大な敷地に大小19の書院がならんでいる。建物は瑠璃の塼（レンガ）、木彫りの彫刻や、陶塑、灰塑といった装飾（彫刻）で彩られていて、刺繍、玉器、陶器などの民間工芸品が展示されている。また

陳家祠
周門路
周門南路
荔湾路
陳家祠
陳家祠
康王北路
金花街斗姥宮
中山八路
中山七路
陳家祠
地鉄8号線
伍湛記粥
龍津路
龍津中路
西関
龍津東路
龍津西路
地鉄1号線
梁家祠
文塔
華貴路
文昌北路
康王中路
西関角
龍津西路
宝源路
十甫堂
逢源路
長寿路
耀華大街
華林寺
長寿西路
華林寺
西関大屋
黄宝堅石屋
文昌南路
錦綸会館
徳星路
華林寺
多宝路
粤劇芸術博物館
宝華路
上下九広場
永慶坊
恩寧路
広州酒家
下九路
康王南路
上下九商業歩行街
蓮香楼
第十甫路
0km
1km
N

N

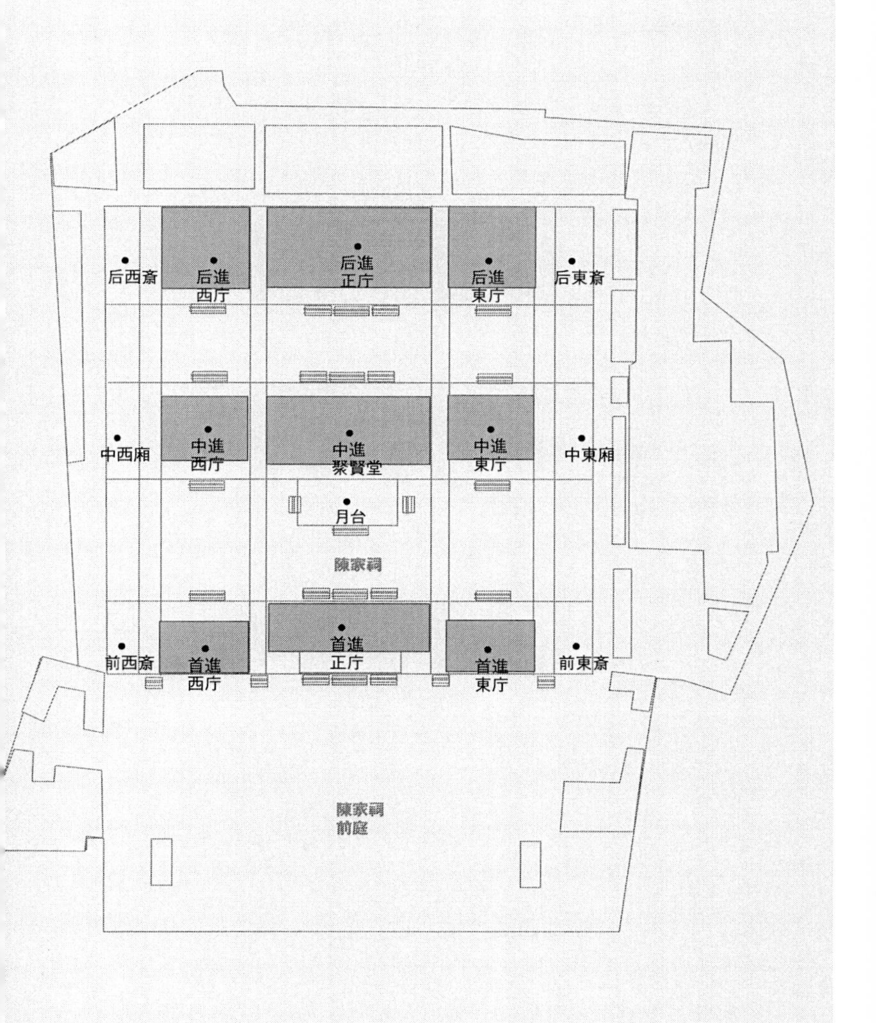
陳家祠拡大
后西斎
后進
西庁
后進
正庁
后進
東庁
后東斎
中西廂
中進
西庁
中進
聚賢堂
中進
東庁
中東廂
月台
陳家祠
前西斎
首進
西庁
首進
正庁
首進
東庁
前東斎
陳家祠
前庭
0m
100m

広東省では、風水(気の流れ)が何より重視され、陳家祠でも建築、障壁、彫刻の配置で、風水上の配慮がなされている。

華南と宗族

共通の祖先をもち、姓を同じくする父系(男性)の同族集団を宗族と呼ぶ。とくに広東省や福建省で、この宗族が発達し、複数の家族が大家族となって集まって暮らし、村ひとつが同じ宗族であることもめずらしくない。そして一族は、祖先をまつる祠堂で、祭祀を行なって絆を深め、利害関係を共有する。封建時代の中国では、ひとりの成功者を出せば、強大な権力を背景に一族全体に富をもたらすことができた

★★★

陳家祠(広東民間工芸博物館)／陈家祠 チェンジィアツウ／チャンガアチィ

西関／西关 シイグゥアン／サァイグゥアン

上下九商業歩行街(上下九路)／上下九商业步行街 シャンシィアジィウルウ／ソォンハァガァオソォンイッボウハンガアイ

★★☆

下九路／下九路 シィアジィウルウ／ハァガァオロウ

広州酒家／广州酒家 グゥアンチョウジィウジャア／グゥオンジョウジャウガア

第十甫路／第十甫路 ディイシイフウルウ／ダイサッフウロウ

蓮香楼／莲香楼 リィアンシィアンロォウ／リィンホェンラァウ

華林寺／华林寺 ファリンスウ／ワァラァムジィ

錦綸会館／锦纶会馆 ジィンルゥンフゥイグゥアン／ガアンルゥンウゥイグウン

西関大屋／西关大屋 シイガンダァウウ／サアイグゥアンダアイオッ

恩寧路／恩宁路 エンニィンルウ／ヤアンニィンロォウ

永慶坊／永庆坊 ヨォンチィンファン／ウィンヒィンフォン

粤劇芸術博物館／粤剧艺术博物馆 ユゥエジュウイイシュウボオウウグゥアン／ユッケッワァンソッボッマッグゥン

★☆☆

金花街斗姥宮／金花街斗姥宫 ジィンフゥアジィエドォウラァオゴォン／ガアンファアガアイダアウモォウゴォン

龍津路／龙津路 ロォンジィンルウ／ロォンジュンロォウ

伍湛記粥／伍湛记粥 ウウチャアンジイチョオウ／ンンザアムゲェイジョッ

耀華大街／耀华大街 ヤァオフゥアダアジィエ／イィウワァダアイガアイ

上下九広場／上下九广场 シャンシィアジィウグゥアンチュウアン／ソォンハァガァオグゥオンチャアン

黄宝堅石屋／黄宝坚石屋 フウアンバァオジィエンシイウウ／ウォンボオウギインセッオッ

龍津西路／龙津西路 ロォンジィンシイルウ／ロォンジュンサアイロォウ

梁家祠／梁家祠 リィアンジィアツウ／ロォンガアチィ

文塔／文塔 ウェンタア／マァンタアプ

宝華路／宝华路 バァオフゥアルウ／ボォウワァロォウ

十甫堂／十甫堂 シイフウタァン／サッフウトォン

多宝路／多宝路 ドゥオバァオルウ／ドオボオロォウ

から、一族の書院をつくって科挙の合格者を輩出することを目指し、そこは互助組織としても機能した。一方で、ある一族は他の一族に対して排他的になり、互いの利害関係のもつれから、鋤や鍬をもって宗族間で争う械闘と呼ばれる風習も残った(流血をともない、生命や財産が犠牲になった)。中国華南地方でこの宗族の伝統がよく残るのは、異民族の侵入で名門一族が財産をもって南遷してきたこと、入植にあたっての開拓、治安対策のために、一族が男系でまとまる必要があったこと、などがあげられる。華南の宗族は、南遷以前の中原の名門望族にまでさかのぼる族譜を作成し、その共通の始祖を紐帯として連帯した。

陳家祠の構成

陳家祠の前方、中山七路に面して陳氏書院広場(前庭)があり、その奥に広東省72県の陳氏共通の祠はじめ、大小19の書院がならんでいる。これらは三路三進、幅80m、奥行80mの正方形のプランをもつ建築で、ちょうど3×3の「井」の字状になっている。それぞれ前後を「前(首)、中、後」の「進」、横を「東、中、西」の「庁」で表し、たとえば2列目、東の位置は、「中進東庁」となる。それらのあいだは中庭となっていて、陳家祠の中心に、聚賢堂が立つ。これら中心の建築群の外側に東西廂が続き、西関大屋でも見られるように、通路が外側にあるのは嶺南建築の特徴となっている。そのため、陳家祠は外に対して開放的で、風の通る心地よい空間が広がっている。「南船北馬」という言葉に象徴されるように、麦を主食とする北方人に対して、米を主食とする南方人というように、中国の南方と北方では衣食住、文化や生活様式が大きく異なる。たとえば北方の住居が、塼(レンガ)を積みあげ、周囲を壁で囲むのに対して、南方の住居では梁と柱の木材がもちいられ、外部に対して開放的になっている。この建築様式の違いは、寒冷な冬をもつ北方と、湿気が多く亜熱帯性の気候をもつ南方という環境の違いなどに由来する。

嶺南芸術の傑作

鮮やかな色がほどこされ、「花脊(花の尾根)」とも呼ばれる陶器製の屋根の装飾。この石灰を使った装飾技法は明末清初にはじまり、清代には木彫、石彫とともに嶺南の伝統工芸として知られるようになった。嶺南の伝統的な建築では屋根のほか、梁や柱にも、浮き彫りや透かし彫りといった技術で、精緻な彫刻をほどこしていく。素材も木や石、石灰、陶器などさまざまで、彩色し、花や果物、鳥や獣、歴史上の故事、粤劇の人物や場面が描かれている。また木製の調度品、書画や陶磁器をあわせて、心地よい空間がつくられている。清代以来、西関は広州の新たな商業の中心地、文化の発信地となり、なかでも粤劇と呼ばれる広東省の芝居はじめ、音楽、演劇、曲芸などの民衆文化が西関で花開いた。

金花街斗姥宮／金花街斗姥宫★☆☆

㊗ jīn huā jiē dòu lǎo gōng ㊗ gam[1] fa[1] gaai[1] dáu mou, gung[1]

きんかがいとうろうきゅう／ジィンフゥアジィエドォウラァオゴォン／ガアンファアガアイダアウモォウゴォン

明の崇禎年間(1628～44年)創建で、金花街斗姥に残る斗姥こと摩支利神(女神)をまつった斗姥宮。明代の両広総督熊文灿と鄭芝龍(鄭成功の父)との海上の戦いのなかで、この女神が現れ、熊文灿を助けた。こうして熊文灿は肇慶と、広州西華路斗姥前と東門線香街の3か所に斗姥をまつって守り神とした。金花街斗姥宮は清代に何度か再建され、現在は幅12m、奥行38mの敷地に3つの大庁と中庭の続く建築となっている。

広東省の陳姓がここに集まった

華南でもっとも豪華な書院の陳家祠

この地方独特の「花脊(花の尾根)」が見える

龍津路／龙津路★☆☆

㊗ lóng jīn lù ㊖ lung[4] jeun[1] lou[3]

りゅうしんろ／ロォンジィンルウ／ロォンジュンロォウ

上下九路とちょうど対称に、孤を描くように走る龍津路。康王路までを龍津東路、そこから華貴路までを龍津中路、華貴路から西を龍津西路と呼ぶ(湾曲する通りは、ここを流れる水路にそって整備されたことによる)。清代、龍津東路には青紫坊や蘆排巷といった西門外(西関)を走る路地があり、現在の中路の一角に清らかで甘い水のわく井戸があり、そのそばに龍津石橋がかかっていた。こうして「龍が渡る水辺(津)」という龍津の名前が定着した。20世紀初頭に建てられた騎楼が続き、装飾のある満州窓、建物内部の浮き彫りを残す昌興大押はじめ、当時の西関の面影をよく伝える街並みが続いている。

伍湛記粥／伍湛记粥★☆☆

㊗ wǔ zhàn jì zhōu ㊖ ng, jaam[2] gei[2] juk[1]

ごじんきがゆ／ウウチャアンジイチョオウ／ンンザアムゲェイジョッ

中華民国(1912〜49年)時代、広州西関の名物料理店として知られていた伍湛記粥。ホタテ貝、ゆば、豚骨でだしをとり、新鮮な赤身の豚肉、レバーや腸を入れるお粥(及第粥)は、広州人の朝食として食べられてきた。及第粥という名称は、これを食べて科挙に合格した縁起のよい食べものであることにちなみ、「状元、榜眼、探花」の三元をこの粥に見立てて、三元及第粥ともいう。

耀華大街／耀华大街★☆☆

㊗ yào huá dà jiē ㊖ yiu[3] wa[4] daai[3] gaai[1]

ようかだいがい／ヤァオフゥアダアジィエ／イィウワァダアイガアイ

清末民初、広州西関の豪商が建てた西関大屋と呼ばれる建築群が残る耀華大街。長さ130m、幅6mの通りに30あまりの大屋がならび、中国と西欧の様式が融合した、灰色のレンガづくり、満州窓(装飾窓)をもつ建築群が続く。広州でもっとも保存状態がよい西関大屋が見られ、古くは清代の同治帝(1861～75年)、光緒帝(1875～1908年)時代のものが残っている。ここに国民政府の官吏や外交官、医者、商人、演劇人、華僑、新聞人などが暮らしていた。

光復中路／光复中路★☆☆

㊍ guāng fù zhōng lù ㊎ gwong[1] fuk[3] jung[1] lou[3]

こうふくちゅうろ／グゥアンフウチョオンルウ／グゥオンフッジョンロォウ

かつての広州古城西城壁のすぐ外側を南北に走る光復中路。城壁が撤去されたのちの1931年、第二甫から第八甫あたりが馬路となって、「(辛亥革命で)清朝を打倒し、河山を光復した」という意味から光復路と名づけられた。上下九路、長寿東路、徳星路あたりは中華民国時代の面影を色濃く残す歴史文化街区となっていて、『七十二行商報』『広州共和報』『公評報』『国華報』といった新聞社が軒を連ねる「報館街」と呼ばれた(中華民国時期にいくつもの新聞社ができ、この通りに本社を構えた)。

陳家祠建築内部は西関大屋にも通じる嶺南様式

Daioku No Sekai

西関大屋の世界

花や虫、樹木と水辺
広州郊外の景勝地だった泮塘では
清末以降、西関大屋と呼ばれる豪邸が現れた

泮塘（西関大屋）の歩み

広州古城の西郊外にあたる西関、その西関よりもさらに西の泮塘、西関角あたりは古くは珠江岸辺の湿地帯で、やがて沖積が進んで陸地化した。そして、泮塘村の起源は、宋代、六氏と曽氏があたりを切り開き、1052年に仁威廟が創設されたときにさかのぼる。泮塘は長らく水生植物を栽培する農村、水上居民の往来する水路が行き交う水辺の村であり、龍津西路の一帯、南は三連直街、東は龍津西路、北は泮塘路がその領域であった。その後、この地は17世紀の清朝初期まで西関ではなく、西園と呼ばれ、明清時代、中華民国時代にいたるまで、仁威廟が泮塘の中心であった。清代、珠江を通じた貿易で、文化公園の地に広東十三行、沙面に商館や領事館が構えられると、西関のにぎわいが広州古城のそれを凌駕するようになった。商売で財をなした中国商人は西関一帯に豪邸を建てるようになり、十三行出身の四大富豪が組織し、郷紳や科挙の合格者のみが参加できる文瀾書院、清濠公所といった広州上流社会が西関に現れた。中華民国（1912～49年）時代に、それまで農村に過ぎなかった泮塘に人口が流入しはじめた（古くから龍津西路の原型になる道があったといい、清代は風光明媚な景勝地として知られ、1888年には街区が成立していたという）。そして、この泮塘と龍津西路に、塩の販売を独占した福建人をはじめとする豪商たちが西関大屋という豪邸を建て、泮塘は富裕層が暮らす地へと発展をとげた。そこでは美食、粤劇、曲芸などの広州伝統文化が栄え、水辺に親しんだその様子から小秦淮とも呼ばれていた。1940年代、日本軍が広州を占領すると、西関の商人は財産を奪われることを恐れて、香港、マカオ、東南アジアへ逃れ、また1949年の中華人民共和国成立後、西関の商店は作業場に変えられるという歴史もあった。

西関大屋／西关大屋★★☆

㊗ xī guān dà wū ㊛ sai[1] gwaan[1] daai[3] uk[1]

せいかんだいおく／シイガンダァウウ／サアイグゥアンダアイオッ

清末民初、広州の碼頭に近い西関に、海外交易で巨利を得た商人や官吏の大邸宅が建てられ、それを西関大屋と呼ぶ。広東語では家を「屋企(オッケイ)」もしくは「屋(オッ)」といい、とくに広州四大家族と呼ばれた藩氏、盧氏、伍氏、葉氏たちの大邸宅が知られた。主体建築を中央に、左右に別の部屋と青雲巷と呼ばれる通路を配置する「三間両廊」のプランをもち、2階もしくは3階の建物は木の柱、灰色レンガの壁で建てられている。そして3枚の異なる門からなる「三重扉」(手前の低い脚門、あいだの横木の趟櫳門、その奥の大きな大門)、「満州窓」(広州に南下した満州族の影響のもと成立した装飾窓)、紅木の豪勢な「家具」をそなえることを特徴とする。そして西関大屋の立つ地は、西欧起源の花崗岩をもちいて舗装した麻石街という通りが続いていた。多いときには約800の西関大屋が広州にあったと言われ、現在は100ほどの西関大屋が残り、西関文化を体現する存在となっている(同様に、通りに面した間口がせまく、奥に長い竹筒のような住居、竹筒屋も知られた)。

西関角（洋塘）の構成

仁威廟の立つ泮塘路から龍津西路、南の恩寧路（上下九路）へ続く南北の通りを中心に、東西にムカデの手足状の通りが伸びる。この街区は清末の1888年には成立し、1907年には現在の街区に近い状態になっていた（19世紀後半から、もともと沼地であったこのあたりも開拓され、商人が邸宅を築いた）。宝盛、宝仁、多宝、逢源、華貴、宝華といった通りは、西関の商人たちが「発財致富、平安吉祥」を願って名づけたことによる。3つの渓流が集まる三叉涌あたりは、1980年代に整備されて、荔枝湾路となった。そして、荔枝湾公園に向かって伸びる三連直街には、「小画舫斎旧址」「荔湾区博物館」「西関民俗館」をはじめとする西関大屋が集まっている。また西関を代表する広東料理の名店「泮溪酒家」、近代広州経済の一翼をになった質屋の「宝慶大押旧址」など、西関文化を色濃く残すのが西関角（泮塘）であると言える。

かつての広州で見られた水上生活者

陸地に家をもたず船を住居とし、漁業や水運、水夫を生業とした水上生活者。かつて珠江下流（また広東省から福建省、東南アジア）に分布し、広州だけで10万人の水上生活者がいたという。荔枝湾公園にも多くの水上生活者がいて、彼らの歌う「荔湾漁歌」は明代の羊城八景にもあげられている。また彼らの売る艇仔粥は、西関荔枝湾の名物であった。長らく人権を尊重されず、子どもたちは陸上の学校で学ぶこともできない被差別民であったが、1949年の新中国建国後、陸上で暮らすようになり、濱江（河南）、新洲漁村などにはかつての水上生活者が集住している。

西関の古い建築を利用したギャラリー

洋塘は荔枝湾の水辺に開けた村だった

落紙如雲煙
户著書多歲月

Seikan Kaku

西関角城市案内

西関は上下九路を中心に
上西関や下西関といったエリアでわけられていた
そのさらに西側が西関角で、西関大屋が多く残る

龍津西路／龙津西路★☆☆

㊎ lóng jīn xī lù ㊍ lung⁴ jeun¹ sai¹ lou³

りゅうしんせいろ／ロォンジィンシイルウ／ロォンジュンサアイロォウ

西関大屋がならぶ一帯を南北に走る目抜き通りの龍津西路。古く泮塘と呼ばれた村の中心に立つ仁威廟へ続き、明清時代にはこの道の原型となる道があったという。中華民国（1912〜49年）初期になると、あたりの街区が整備され、1932年に龍津西路も拡張された。文塔や泮溪酒家、西関大屋など、民国初期以来の西関の雰囲気を残し、通りの両脇には騎楼が続く。龍津西路は南で、恩寧路に接続し、そこから第十甫路、上下九路へとつながっていく。

仁威廟／仁威庙★★☆

㊎ rén wēi miào ㊍ yan⁴ wai¹ miu³

じんいびょう／レェンウェイミィアオ／ヤァンワアイミィウ

宋代以来の泮塘古村の中心に立ち、1000年にわたって村の守り神がまつられてきた仁威廟（広州のすべての街巷には土地を守護する神さまをまつる土地廟があった）。湿地帯だった西関のこの地（泮塘）を切り開いた六氏と曽氏によって1052年に創建され、廟内に安置された六体の神像のうち、北帝（真武帝）を主神としている。明代の1622年に一度建てなおされ、その後、清代の1780〜85年に地元の村民による修築もあって、

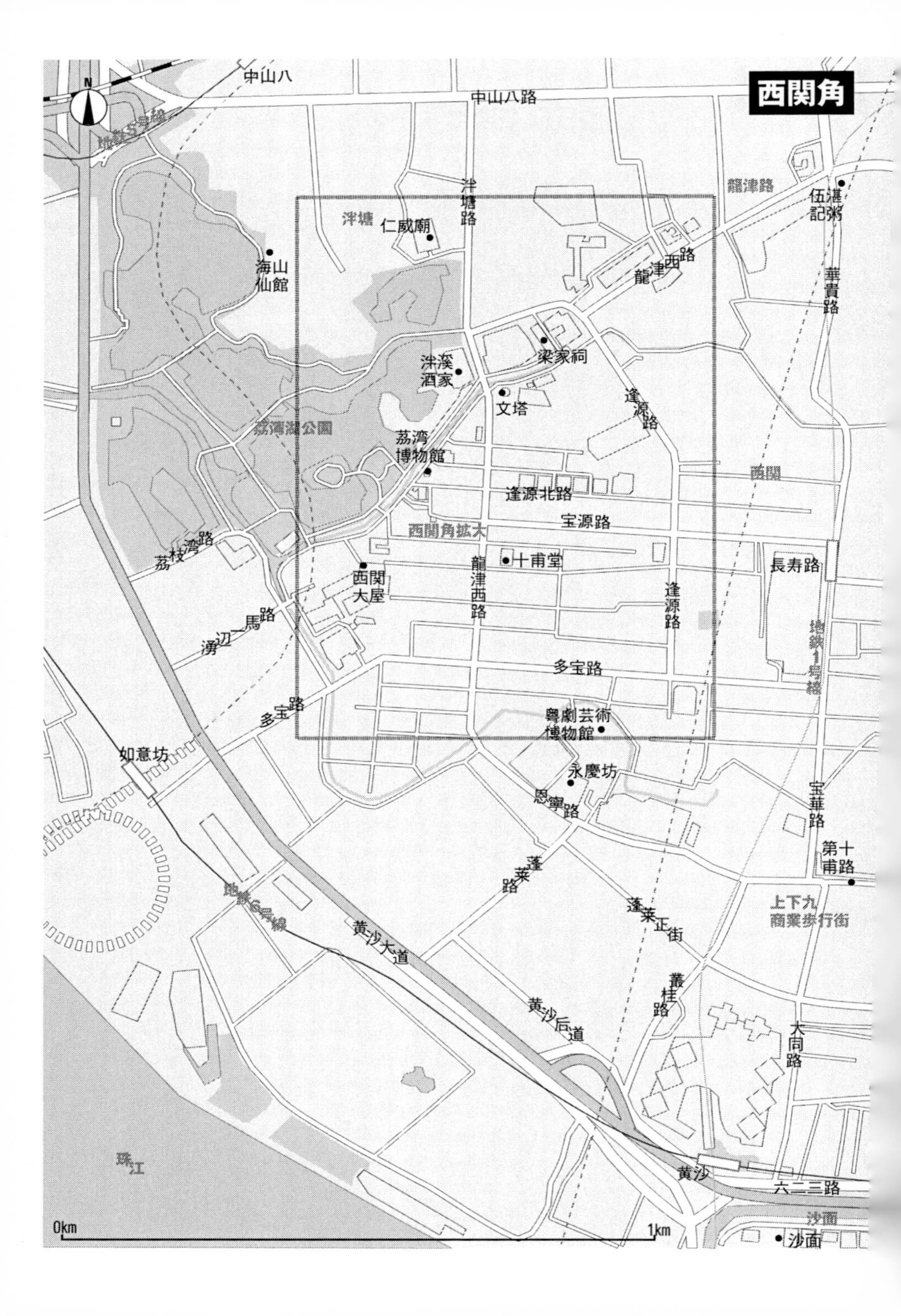

西関角
中山八
中山八路
地鉄5号線
龍津路
伍湛記粥
洋塘路
洋塘
仁威廟
海山仙館
龍津西路
華貴路
梁家祠
洋溪酒家
文塔
逢源路
荔湾湖公園
荔湾博物館
西関
逢源北路
宝源路
西関角拡大
十甫堂
荔枝湾路
西関大屋
龍津西路
長寿路
逢源路
湧辺一馬路
地鉄1号線
多宝路
多宝路
粤劇芸術博物館
如意坊
永慶坊
恩寧路
宝華路
第十甫路
蓬莱路
上下九商業歩行街
地鉄6号線
黄沙大道
蓬莱正街
叢桂路
黄沙后道
大同路
珠江
黄沙
六二三路
沙面
沙面
0km
1km

現在にいたる(1920年代に小学校として利用されることもあった)。幅40m、奥行60m、三路五進のプランをもち、豪勢な嶺南様式の伝統工芸で彩られている。広州四大道観のひとつにあげられ、北帝(水の神)の誕生祭、龍舟祭はこの仁威廟を中心ににぎわう。

梁家祠／梁家祠★☆☆

㊗ liáng jiā cí ㊛ leung⁴ ga¹ chi⁴

りょうかし／リィアンジィアツウ／ロォンガアチィ

　龍津西路のそばに立つ明代創建の梁家祠。泮塘に暮らす梁氏の宗祠で、一族共通の祖先をまつり儀式を行なう。幅12.9m、奥行54.3mの三間三進建築で、嶺南様式の祠堂となっている。

★★★

西関／西关 シイグゥアン／サァイグゥアン
上下九商業歩行街(上下九路)／上下九商业步行街 シャンシィアジィウルウ／ソォンハァガァオソォンイッボウハンガアイ
沙面／沙面 シャアミィエン／サアミィン

★★☆

西関大屋／西关大屋 シイガンダァウウ／サアイグゥアンダアイオッ
仁威廟／仁威庙 レェンウェイミィアオ／ヤァンワアイミィウ
恩寧路／恩宁路 エンニィンルウ／ヤアンニィンロォウ
永慶坊／永庆坊 ヨォンチィンファン／ウィンヒィンフォン
粤劇芸術博物館／粤剧艺术博物馆 ユゥエジュウイイシュウボオウウグゥアン／ユッケッワァンソッボッマッグゥン
第十甫路／第十甫路 ディイシイフウルウ／ダイサッフウロウ
珠江／珠江 チュウジイアン／ジュウゴォン

★☆☆

龍津西路／龙津西路 ロォンジィンシイルウ／ロォンジュンサアイロォウ
梁家祠／梁家祠 リィアンジィアツウ／ロォンガアチィ
文塔／文塔 ウェンタア／マァンタアプ
泮溪酒家／泮溪酒家 パンシイジィウジィア／プゥンカアイザァウガア
荔湾博物館(陳廉仲故居)／荔湾博物馆 リイワァンボオウウグゥアン／ラァイワアンボッマッグゥン
荔湾湖公園／荔湾湖公园 リイワァンフウゴォンユゥエン／ラァイワアンウゥグォンユゥン
海山仙館／海山仙馆 ハァイシャンシィアングゥアン／ホォイサアンシィングゥン
十甫堂／十甫堂 シイフウタァン／サッフウトォン
多宝路／多宝路 ドゥオバァオルウ／ドオボオロォウ
宝華路／宝华路 バァオフゥアルウ／ボォウワァロォウ
龍津路／龙津路 ロォンジィンルウ／ロォンジュンロォウ
伍湛記粥／伍湛记粥 ウウチャアンジイチョオウ／ンンザアムゲェイジョッ
六二三路／六二三路 リィウアアサァンルウ／ロッイィサアンロォウ

西関角拡大
泮塘
仁威廟
海山
仙館
泮
塘
路
龍津西路
梁家祠
逢源路
泮溪
酒家
西関
古玩城
文塔
荔湾湖公園
西関
大屋
逢源西二巷
陳廉伯
公館
荔枝湾
大戯台
荔湾
博物館
逢源沙地一巷
逢源大街
逢源北路
荔
枝
湾
街
蒋光鼐
故居
小画舫斎
旧址
宝源路
三連直街
十甫堂
逢源正街
龍
津
西
路
逢
源
西
街
逢源中約
逢源東街
馬
路
辺
涌
西関
逢源南
多宝路
多宝街
多宝
路
昌
華
横
街
荔枝湾涌
昌華大街
粤劇芸術
博物館
宝慶大
押旧址
恩
寧
路
永慶坊
N
0m
500m

西関大屋
N
仁威廟
泮塘
泮塘路
龍津西路
梁家祠
泮溪
酒家
荔湾湖公園
文塔
西関
古玩城
荔枝湾涌
逢源西二巷
陳廉伯
公館
龍津西路
荔枝湾
大戲台
荔湾
博物館
逢源沙地一巷
西関
民俗館
蔣光鼐
故居
西関
大屋
逢源北路
荔枝湾街
小画舫斎
旧址
逢源大街
宝源路
三連直街
十甫堂
逢源正街
0m
300m

文塔／文塔★☆☆

㊤ wén tǎ ㊧ man4 taap2

ぶんとう／ウェンタア／マァンタアプ

文運隆盛を祈願し、文運、科挙の成功をつかさどる魁星(また北斗七星の4番目の文曲星ともいう)をまつる文塔。龍津西路のほとり雲津閣に立ち、高さ13.6m、2層からなる建築で、一面2.5mの六角形のプランをもつ。創建年代はさだかではないが、明代のものと言われ、建築は清朝の様式を今に伝える。

西関古玩城／西关古玩城★☆☆

㊤ xī guān gǔ wàn chéng ㊧ sai1 gwaan1 gú wun3 sing4

せいかんこがんじょう／シイグゥアングウワァンチャアン／サアイグゥアングウワンシィン

茘枝湾三叉涌(渓流)のほとり、古玩具や書画をあつかう店舗が集まる西関古玩城。翡翠や玉器、象牙細工、ランタン、陶磁器、書画、文房四宝をあつかう店がずらりとならんでい

★★★

西関／西关 シイグゥアン／サァイグゥアン

★★☆

西関大屋／西关大屋 シイガンダァウウ／サアイグゥアンダアイオッ

仁威廟／仁威庙 レェンウェイミィアオ／ヤァンワアイミィウ

恩寧路／恩宁路 エンニィンルウ／ヤアンニィンロォウ

永慶坊／永庆坊 ヨォンチィンファン／ウィンヒィンフォン

粤劇芸術博物館／粤剧艺术博物馆 ユゥエジュウイイシュウボオウウグゥアン／ユッケッワァンソッボッマッグゥン

★☆☆

龍津西路／龙津西路 ロォンジィンシイルウ／ロォンジュンサアイロォウ

梁家祠／梁家祠 リィアンジィアツウ／ロォンガアチィ

文塔／文塔 ウェンタア／マァンタアプ

西関古玩城／西关古玩城 シイグゥアングウワァンチャアン／サアイグゥアングウワンシィン

泮渓酒家／泮溪酒家 パンシイジィウジィア／プゥンカアイザァウガア

陳廉伯公館／陈廉伯公馆 チェンリィエンボオゴォングゥアン／チャンリィンバアクゴォングゥン

茘湾博物館(陳廉仲故居)／荔湾博物馆 リイワァンボオウウグゥアン／ラァイワアンボッマッグゥン

西関民俗館／西关民俗馆 シイグゥアンミィンスウグゥアン／サアイグゥアンマァンジョッグゥン

蒋光鼐故居／蒋光鼐故居 ジィアングゥアンナァイグウジュウ／ジォングゥオンナァイグウゴォイ

小画舫斎旧址／小画舫斋旧址 シィアオフゥアファンチャアイジィウチイ／シィウワァフォンザアイガウジイ

茘湾湖公園／荔湾湖公园 リイワァンフウゴォンユゥエン／ラァイワアンウゥグォンユゥン

茘枝湾大戯台／荔枝湾大戏台 リイチイワァンダアシイタァイ／ラァイジイワアンダアイヘェイトォイ

海山仙館／海山仙馆 ハァイシャンシィアングゥアン／ホォイサアンシィングゥン

十甫堂／十甫堂 シイフウタァン／サッフウトォン

多宝路／多宝路 ドゥオバァオルウ／ドオボオロォウ

宝慶大押旧址／宝庆大押旧址 バァオチィンダアヤアジィウチイ／ボォウヒィンダアイアアッガゥジイ

る。中国のもののほか、海外の文物も見られる。

泮溪酒家／泮溪酒家★☆☆

㊗ pàn xī jiŭ jiā ㊛ pun² kai¹ jáu ga¹

ばんけいしゅか／パンシイジィウジィア／プゥンカアイザァウガア

茘枝湾のほとりに店を構える広州を代表する広東料理の泮溪酒家。1947年、李文倫によってはじめられ、当初は竹と松の皮を敷いただけの簡素な料理店だった。やがて広州郊外の新鮮な野菜、素材を使った郊菜鮮蝦腸、泮塘馬蹄糕、八珍茭筍皇といった料理で知られるようになり、1960年代初頭には広州屈指の名店となっていた。泮溪酒家という名称は、近くに5つの小川が流れ、そのうちのひとつが泮溪と呼ばれていたことによる。

陳廉伯公館／陈廉伯公馆★☆☆

㊗ chén lián bó gōng guǎn ㊛ chan⁴ lim⁴ baak² gung¹ gún

ちんれんぱくこうかん／チェンリィエンボオゴォングゥアン／チャンリィンバアクゴォングゥン

陳廉伯公館は清末民初の銀行家であった陳廉伯(1884～1945年)の邸宅跡。東南アジアから帰国した華僑の祖父をもち、香港で学んで広州に帰ってきて、昌桟絲荘の経営に従事した。そして香港上海銀行(イギリス滙豊銀行)広州支店の買弁(外国企業との仲立ちをして利益をあげる業者)となり、絹産業のほかに海運業、鉱業、製紙業、茶業と事業領域を広げていった。清末、陳廉伯は銀行や商店、数々の大邸宅を所有する広州屈指の富豪となり、辛亥革命後の1919年には広東商団団長となった。こうして富商階級を代表する存在として武装自衛のための商団を組織したが、孫文の政府と対立し、香港に逃れた。そして戦時下の香港で日本軍に協力したが、1945年、船に乗って香港からオーストラリアに向かう途上で生命を落とした。

荔湾博物館（陳廉仲故居）／荔湾博物馆★☆☆

㊗ lì wān bó wù guǎn ㊗ lai³ waan¹ bok² mat³ gún

れいわんはくぶつかん（ちんれんちゅうこきょ）／リイワァンボオウウグゥアン／ラァイワアンボッマッグゥン

陳廉伯の弟で、イギリス香港上海銀行の買弁をつとめた陳廉仲（1884～1974年）の故居を利用した荔湾博物館。陳廉仲は絹産業の富商の息子として生まれ、1921年に広東造幣廠廠長をつとめた。中庭をもつ嶺南建築と西欧建築を融合させた3階建ての建築で、1996年より荔湾の歴史、文化、民俗を展示する博物館として開館している。陳氏書院、西関大屋、騎楼、中華老字号（老舗）、粤劇八和会、また詹天佑、陳少白、趙少昂といったこの地区ゆかりの人を紹介する。

西関民俗館／西关民俗馆★☆☆

㊗ xī guān mín sú guǎn ㊗ sai¹ gwaan¹ man⁴ juk³ gún

せいかんみんぞくかん／シイグゥアンミィンスウグゥアン／サアイグゥアンマァンジョッグゥン

広州商人の豪勢な邸宅、西関大屋を利用した西関民俗館。天井や窓を使った開放的な空間をもつ嶺南建築で、中央の政庁を中心とした中軸線、東西の軸線の三路からなり、さらにその両脇には青雲巷をもつ。廊下や柱、窓枠などに美しい彫刻が見られ、商人の使った調度品がおかれている。2000年に民俗館として開館し、「西関大屋建築意境」「西関民俗風情」「婚嫁習俗」「節令習俗」などが展示されている。

蔣光鼐故居／蒋光鼐故居★☆☆

㊗ jiǎng guāng nài gù jū ㊗ jeung¹ gwong¹ naai, gu² geui¹

しょうこうだいこきょ／ジィアングゥアンナァイグウジュウ／ジォングゥオンナァイグウゴォイ

荔湾湖公園に向かいあって、西関大屋が集まる一角に立つ蔣光鼐故居。蔣光鼐（1888～1967年）は、広東省東莞の人で、北伐に参加、日中戦争時に活躍した十九路軍の総指揮をつとめた。この蔣光鼐故居は、中華民国初年の1912年に建てられ、幅17m、奥行12m、3階建ての建築となっていて、蔣光鼐の生涯が展示されている。

粤劇が演じられる茘枝湾大戯台

バルコニーをもった西関の建築

1920～30年代の権力者が暮らした

小画舫斎旧址／小画舫斋旧址★☆☆

㊡ xiǎo huà fǎng zhāi jiù zhǐ ㊫ síu wa³ fóng jaai¹ gau³ ji

しょうがほうさいきゅうし／シィアオフゥアファンチャアイジィウチイ／シィウワァフォンザアイガウジイ

清朝末期の茘湾三叉涌のたたずまいを今に伝える小画舫斎旧址。広東省台山に原籍をもち、シンガポールで富豪になった黄福の1902年創建の別荘を前身とし、1996年に再建された。そのため、黄園ともいい、かつてここに多くの文人が集まった。茘枝湾に浮かぶ船のようなたたずまいをしている。

茘湾湖公園／荔湾湖公园★☆☆

㊡ lì wān hú gōng yuán ㊫ lai³ waan¹ wu⁴ gung¹ yún

れいわんここうえん／リイワァンフウゴォンユゥエン／ラァイワアンウゥグォンユゥン

南国の果実「茘枝（ライチ）」がなることから、茘枝湾の名前で知られてきた茘湾湖公園。このあたりは紀元前206年に漢の陸賈が広州に派遣されたとき、西郊外のこの地に拠点（陸賈城、または泥城）を構え、水辺に花や茘枝の木を植えたことで、茘枝湾と呼ばれるようになった。以来、広州を代表する景勝地として歩み、公園内には小翠湖、玉翠湖、如意湖、五秀湖などの湖が集まっている。そのなかに亭や楼閣が点在し、茘枝樹も見える。

茘枝湾大戯台／荔枝湾大戏台★☆☆

㊡ lì zhī wān dà xì tái ㊫ lai³ ji¹ waan¹ daai³ hei² toi⁴

れいしわんだいぎだい／リイチイワァンダアシイタァイ／ラァイジイワアンダアイヘェイトォイ

この地方の伝統劇である粤劇が演じられる茘枝湾大戯台。茘湾湖公園の一角に緑色の屋根瓦をもつ舞台、劇場が整備されていて、大きな木の茂るなか、広東語のオペラ（劇）が見られる。

海山仙館／海山仙馆★☆☆

㊗ hǎi shān xiān guǎn 広 hói saan¹ sin¹ gún

かいさんせんかん／ハァイシャンシィアングゥアン／ホォイサアンシィングゥン

茘湾湖公園の一角に位置する、清代の広州を代表する富豪であった潘仕成の園林、海山仙館。潘仕成は、外国貿易を独占した十三行のひとつ同孚行の商人で、その私邸であった海山仙館は規模や豪華さから「嶺南第一景」とたたえられた（1830年創建の海山仙館の名はヨーロッパにまで知られていたという）。ここでイギリスやフランスなどの西欧の外交官と商人との謁見が行なわれ、外交の舞台となった。潘仕成は商人であると同時に、宋、元、明の写本を集める文人でもあり、『海山仙館叢書』を編纂したことでも知られる。長らく廃墟となっていたが、1998年に当時の写真や資料から再現され、現在は博物館となっている。

十甫堂／十甫堂★☆☆

㊗ shí fǔ táng 広 sap³ fú tong⁴

じゅうほどう／シイフウタァン／サッフウトォン

西関逢源正街に立つキリスト教の教会、十甫堂。広州へのキリスト教布教は、清代の1807年からはじまったと言われ、西欧商人と十三行の交易のなかでほそぼそと行なわれていた。この十甫堂は、アヘン戦争後の1862年にイギリスメソジスト教会のベイシー牧師が創建したことをはじまりとし、広州西関第十甫から十甫堂の名前がとられた。1934年に再建され、レンガの外壁、十字架をもつたたずまいとなった。1966年の文化大革命のとき、破壊をこうむったが、1995年に再建されて現在にいたる。

とんがり屋根をしたたたずまい、文塔

En Ning Lu

恩寧路城市案内

北の龍津西路と東の第十甫を結ぶ恩寧路
ここは広東オペラこと粤劇の本場で
広州庶民の暮らしぶりを伝える街並みが広がる

多宝路／多宝路★☆☆

㊗ duō bǎo lù ㊧ do[1] bóu lou[3]

たほうろ／ドゥオバァオルウ／ドオボオロォウ

清末民初(20世紀初頭)、庶民のにぎわいを見せた当時の西関の雰囲気を色濃く残す多宝路。宝華路から龍津西路へ続く東西の通りで、東の上下九路方面から雑多な街並みへと変わっていく。多宝路という名称は、清代咸豊年間(在位1850～61年)にこの地に豪邸を所有した鄧華熙が記した「多宝大街(多くの宝がある通り)」に由来する。近くには、昌華大街、昌華南街、昌華横街、昌華新街といった古い街並みが残り、昌華とは広州に都をおいた南漢(909～971年)の昌華苑(郊外の宮廷園林)からとられている。1930年代にあたりの道路は整備され、広州西関には多宝、宝華、宝源の「三宝がある」と言われるほど、活気があった。

宝慶大押旧址／宝庆大押旧址★☆☆

㊗ bǎo qìng dà yā jiù zhǐ ㊧ bóu hing[2] daai[3] aat[2] gau[3] jí

ほうけいだいおうきゅうし／バァオチィンダアヤアジィウチイ／ボォウヒィンダアイアアッガゥジイ

中華民国時代に隆盛をほこった、広州六大質屋のひとつ宝慶大押旧址。「押」とは質屋を意味し、明清時代の広州は、商品経済が発達して「米屋よりも質屋のほうが多い」という言葉もあったという。高さ20m、5層からなる建物は、清末あ

恩寧路
宝源路
三連直街
西関大屋
十甫堂
逢源正街
長寿路
龍津西路
逢源西街
逢源路
逢源中約
逢源東街
西関
逢源南
多宝路
多宝街
荔枝湾涌
宝慶大押旧址
粤劇芸術博物館
多宝坊
昌華大街
李小龍祖居
鑾輿堂
順記氷室
恩寧路
永慶坊
地鉄1号線
八和会館
恩寧路
宝華路
蓬莱西大街
蓬莱路
蓬莱正街
十二甫西街
上下九商業歩行街
詹天佑故居
地鉄6号線
黄沙后道
叢桂路
黄沙大道
大同路
N
黄沙
0m
500m
沙面へ

たりでもっとも高いものだった。中国の質屋は、1930年代以降、近代銀行が出現すると減少していき、1949年の新中国以後、なくなった。

恩寧路／恩宁路★★☆

㊗ ěn níng lù ㊛ yan¹ ning⁴ lou³
おんねいろ／エンニィンルウ／ヤアンニィンロォウ

東の上下九路、第十甫、宝華路あたりから龍津西路へ続き、「広州最美的老街(広州でもっとも美しい古い通り)」とも言われる恩寧路。もともと何もない広州郊外に過ぎなかったが、清代に官吏や商人が別荘を建てて街がつくられていった。続く中華民国時代、広州経済は発展して、社会は安定し、文化が咲きほこった。そのなかでも恩寧路あたりは粤劇の本場となり、1920～30年代につくられた騎楼が続く。淡い緑や黄色などの建築がならぶ現在の通りの姿は2003年に完成したもので、八和会館、李小龍祖居をはじめとする著名人の住居も見られる。「粤劇之街(広東オペラの通り」とも呼ばれる。

★★★
西関／西关 シイグゥアン／サァイグゥアン
上下九商業歩行街(上下九路)／上下九商业步行街 シャンシィアジィウルウ／ソォンハァガァオソォンイッボウハンガアイ
★★☆
恩寧路／恩宁路 エンニィンルウ／ヤアンニィンロォウ
永慶坊／永庆坊 ヨォンチィンファン／ウィンヒィンフォン
粤劇芸術博物館／粤剧艺术博物馆 ユゥエジュウイイシュウボオウウグゥアン／ユッケッワァンソッボッマッグゥン
西関大屋／西关大屋 シイガンダァウウ／サアイグゥアンダアイオッ
★☆☆
宝慶大押旧址／宝庆大押旧址 バァオチィンダアヤアジィウチイ／ボォウヒィンダアイアアッガゥジイ
八和会館／八和会馆 バアハアフゥイグゥアン／バッウォウイグゥン
鑾輿堂／銮舆堂 ルゥアンユウタァン／リュンユゥトォン
李小龍祖居／李小龙祖居 リイシャオロォンズウジュウ／レェイシィウロォンジョオグヴォイ
詹天佑故居／詹天佑故居 チャンティエンヨォウグウジュウ／ジィンティンヤァオグウグヴォイ
宝華路／宝华路 バァオフゥアルウ／ボォウワァロォウ
順記氷室／顺记冰室 シュンジイビィンシイ／シュンゲェイビインサッ
龍津西路／龙津西路 ロォンジィンシイルウ／ロォンジュンサアイロォウ
十甫堂／十甫堂 シイフウタァン／サッフウトォン
多宝路／多宝路 ドゥオバァオルウ／ドオボオロォウ

永慶坊／永庆坊★★☆

㊗ yǒng qìng fāng ㊗ wing, hing[2] fong[1]

えいけいぼう／ヨォンチィンファン／ウィンヒィンフォン

荔枝湾涌の南岸、恩寧路に面し、近代広州の面影を残したまま、新たに生まれ変わった永慶坊。西関の古い伝統をもつ民居や店舗、建築をもとにしたカフェやギャラリーがならび、洗練された街並みが続く。西側の一期、東側の二期というように複数の段階をへて、現在の姿となり、広州の美食店、汪精衛故居や李小龍祖居、粤劇芸術博物館などが集まっている。2016年に一般開放された。

粤劇芸術博物館／粤剧艺术博物馆★★☆

㊗ yuè jù yì shù bó wù guǎn ㊗ yut[3] kek[3] wan[4] seut[3] bok[2] mat[3] gún

えつげきげいじゅつはくぶつかん／ユゥエジュウイイシュウボオウウグゥアン／ユッケッワァンソッボッマッグゥン

明清時代から広東省で受け継がれてきた伝統劇「広東オペラ」こと粤劇にまつわる展示を行なう粤劇芸術博物館。粤劇は濃厚な嶺南文化の特色をもつ中国の地方劇で、広東仏山を発祥地とし、とくに西関で演じられた。独特な衣装をまとい、化粧をして、銅鑼や太鼓、大笛といった楽器を使って、広東語で歌唱することを特徴とする。1920年代ごろから定着し、西関の商人や庶民の目を受けながら発展した。粤劇芸術博物館の場所は南漢（909～971年）時代に離宮があった場所で、粤劇荔枝湾涌の南北両岸に展開する。南岸に基本陳列展庁、主題展庁、劇場、園林景区があり、北岸は粤劇芸術を保護するための文化園となっている。粤劇芸術博物館は西関の水郷、園林、茶楼、戯台、劇場が一体となっていて、壮大な嶺南建築が見られるほか、園内では精緻な木や陶器の彫刻で彩られている。2016年に開館した。

粤劇（広東オペラ）とは

広東語で演じられる粤劇は、京劇、昆曲などともに中国

恩寧路あたりは広東オペラこと粤劇の本場だった

日本の天守閣のような粤劇芸術博物館

永慶坊の文言が見える、道は恩寧路から第十甫路へと続く

の地方劇のひとつで、大戯、また広東大戯ともいう。鮮やかな色彩の美しい衣装を着た俳優が、優雅な節(音楽)、歌、セリフ、仕草、立ちまわりを演じ、楽器に二弦、提琴、月琴、簫、三弦、銅鑼を使い、比較的シンプルな声調をもつ。この粤劇は、南宋の温州で生まれた「南戯」に由来し、明の嘉靖年間(1521〜66年)から広東、広西にあらわれはじめ、当初は中原音韻(戯棚官話)が使われていた。清の乾隆年間(1735〜95年)に広東一帯が安定し、人びとが娯楽を求めると、粤劇が人気を博していった。中国各地の劇の要素、京劇の立ちまわりや隈取をとり入れ、1930年代までは広東なまりの普通話(北京語)で演じられていた。やがて広州で話されている広東語が使われるようになり、他の地方劇と違ってサックスフォン、トランペット、ヴァイオリン、ギターといった西欧楽器ももちいられるなど、独特な劇として発展をとげた。広州をはじめとする広東省、香港、マカオのほか、華僑の進出した東南アジア、アメリカなどでも粤劇が演じられている。

西関の料理

「食在広州、味在西関(食は広州にあり、味は西関にあり)」という言葉は、1920〜30年代に中国屈指の繁栄を見せていた広州西関に、陶陶居、蓮香楼、広州酒家、泮溪酒家といった広東料理の名店が軒を連ねていたことによる。こうした広州の食文化は、珠江や白雲山の水、茘枝湾などの自然と、商業の街であった西関の風土で育まれた。一般的な広東料理のほか、「艇仔粥」「及第粥」「五秀(水生植物レンコンやたけのこ)」といった西関特有の料理、またライチ、バナナ、龍眼、マンゴー、パイナップル、スターフルーツなどの果実も親しまれている。

八和会館／八和会馆★☆☆

㊗ bā hé huì guǎn ㊖ baat² wo⁴ wui³ gún

はちわかいかん／バアハアフゥイグゥアン／バッウォウイグゥン

粤劇に従事する人たちのための互助組織の八和会館。粤劇発祥の地である仏山で設立された、明代以来の琼花会館を前身とする。粤劇の役者が太平天国の乱(1851～64年)に参加したため、会館は清朝によってとりつぶしにあい、一部の役者たちは仏山から広州西関に逃れて、1889年、再建された。当初、黄沙海傍街にあり、1937年の日本軍の攻撃で破壊された。その後、ここ恩寧路で再建され、八和会館という名称は、館内の永和堂、兆和堂、福和堂、慶和堂、新和堂、徳和堂、慎和堂、普和堂という8つの堂に由来する。幅5m、奥行30m、3層からなる建物で、かつてここで粤劇が演じられたほか、宿舎、病院、学校としても利用された。現在は会館内に、粤劇の衣装、楽器、著名役者の写真などが展示されている。同様の名称をもつ粤劇の八和会館は、香港にも存在する。

鑾輿堂／銮舆堂★☆☆

㊗ luán yú táng ㊖ lyun⁴ yu⁴ tong⁴

らんよどう／ルゥアンユウタァン／リュンユゥトォン

八和会館のひとつ徳和堂を前身とし、粤劇の役者のうち、五軍虎と武家の住居の鑾輿堂。広々としたホールをもち、毎年、粤劇の神さまである華光の誕生を祝う祭りが開かれる。テーブルや椅子など、紫檀の調度品(家具)、武術の108手の写真展示などが見られる。

李小龍祖居／李小龙祖居★☆☆

㊗ lǐ xiǎo lóng zǔ jū ㊖ lei, síu lung⁴ jóu geui¹

りしょうりゅうそきょ／リイシャオロォンズウジュウ／レェイシィウロォンジョオグォイ

香港カンフー映画の俳優ブルース・リー(1940～73年)の一家が暮らしていた李小龍祖居。ブルース・リーこと李小龍の

観光資源としての西関が注目され再開発された

父親李海泉(1902～65年)は、ここ西関に暮らす粤劇の俳優で、ブルース・リーはその巡業中にアメリカで生まれた。少年のころ、一家は香港に移住し、7歳のころから太極拳を学び、やがてアメリカの大学へ進学した。その後、香港に戻り、『ドラゴン危機一発』(1971年)、『燃えよドラゴン』(1973年)などの映画で、スターへとのぼりつめた。李小龍祖居は西関大屋を思わせる民国時代の建築で、三進の奥行21m、幅7mからなる。現在の建物は、2005年に重修された。

詹天佑故居／詹天佑故居★☆☆

㊗ zhān tiān yòu gù jū ㊛ jim[1] tin[1] yau[3] gu[2] geui[1]

せんてんゆうこきょ／チャンティエンヨォウグウジュウ／ジィンティンヤァオグウグォイ

近代中国を代表する鉄道技術者の詹天佑(1861～1919年)が父母と、兄弟たちと暮らした詹天佑故居。詹天佑はアメリカ留学で土木工学を学んで帰国し、スイッチバックなどの技術を使って、万里の長城を超える鉄道の難工事を成功させた。再開発のためとり壊しの対象にもなったが、破壊をまぬがれ、詹天佑故居として再建された。

宝華路／宝华路★☆☆

㊗ bǎo huá lù ㊛ bóu wa[4] lou[3]

ほうかろ／バァオフゥアルウ／ボォウワァロォウ

上下九路歩行街の一部を構成し、第十甫路と直角にまじわる宝華路。かつての十五甫の場所で、1930年代に整備されたとき、商売繁盛を願って宝華路と名づけられた。お茶屋さん、食料品店、仕入れ工場などの小さな商店がならび、西関の縮図とも言える光景が広がっている。焼鴨、水餃子、粥、麺などの小吃店も多い。

順記氷室／顺记冰室★☆☆

㊗ shùn jì bīng shì ㊷ seun3 gei2 bing1 sat1

じゅんきひょうしつ／シュンジイビィンシイ／シュンゲェイビインサッ

1920年代、広東鶴山に祖籍をもつ行商人の呂順がはじめたアイスクリーム店の順記氷室。呂順はタイでアイスクリームパーラーを経営していた叔母からアイスクリームづくりを学び、香港が日本軍に占領されると、広州に遷り、宝華路で順記氷室をはじめた。ココナッツの香りが豊かですぐに人気商品となり、アイスクリームのほかにも粥、麺、煲仔飯などをあつかっている。

Sha Ji

沙基城市案内

1840〜42年のアヘン戦争以後
西欧租界が構えられた沙面
沙基は沙面との接続点でもあった

十八甫／十八甫★☆☆

㊗ shí bā fǔ ㊄ sap[3] baat[2] fú
じゅうはちほ／シイバアフウ／サッバアトフウ

明清時代、広州でもっとも繁栄した港町の姿があった十八甫。宋代、下九路の場所には繍衣坊があり、明代に大観河が開削されたことで西関は発展し、西関の商業街は18の「甫」という街区が現れた（明代の1449年に黄蕭養の乱が起こり、城壁外の西関に暮らす商人や住人が、水路にそったひとつの街路に街柵を立て、自衛組織をつくったことに由来する）。これら街柵で囲まれたひとつの町内「甫」は両端に門があり、夜には門がしまったという。明代の1406年、対外窓口の懐遠駅、続く清代、中国と外国の交易を一手に引き受ける十三行が、十八甫近くにおかれた。清朝末期には十三行が衰退したが、十八甫の繁栄は続き、西関の商業中心地という性格が続いた。1937年に十八甫一帯が火事にあったことで、そのにぎわいは下九路と第十甫に遷った。

清平路／清平路★☆☆

㊗ qīng píng lù ㊄ ching[1] ping[4] lou[3]
せいへいろ／チィンピィンルウ／チィンピィンロォウ

沙面の北側を南北に走り、清代からにぎわいを見せていた清平路（ちょうど沙面イギリス租界への入口の西橋から伸びる軸線上

珠江沿岸
西関
五仙観
大仏寺
北京路
広州古城
華林寺
長寿路
北京路
団一大広場
華林寺
恩寧路
上九路
聖心大教堂
海珠広場
地鉄1号線
地鉄8号線
地鉄6号線
上下九商業歩行街
一徳路
沙基
文化公園
黄沙
珠江
沙面
沙面
0km
市二宮
3km
沙基
文昌南路
上下九広場
上下九商業歩行街
西関
宝華路
広州酒家
下九路
蓮香楼
第十甫路
懐遠駅旧址
康王南路
十三甫路
十八甫路
十八甫
和平西路
地鉄8号線
冼基路
大同路
十八甫南路
杉木欄路
梯雲路
珠璣路
清平中薬材専業市場
清平路
文化公園
黄沙
文化公園
地鉄6号線
六二三路
西橋
沙面北街
沙基涌
沙面四街
沙面
沙面一街
露徳聖母堂
沙面大街
0m
500m
東橋

にあたる)。東の十三行、南の沙面(租界)への立地を生かして、薬草を売る屋台が集まっていて、1979年、清平農産品市場が開業し、「清平路で店を得れば、生涯心配はない」とも言われた。広州人の胃袋を支える肉や野菜店がならび、かつてはヘビや猿、猫、ネズミなどの食材をあつかう店があることで知られていたが、こうした市場は郊外へ移動した。

清平中薬材専業市場／清平中药材市场★☆☆

㊗ qīng píng zhōng yào cái shì chǎng ㊧ ching[1] ping[4] jung[1] yeuk[3] choi[4] jyun[1] yip[3] si, cheung[4]

せいへいちゅうやくざいせんぎょうしじょう／チィンピィンチョンヤァオツァイシイチャアン／チィンピィンジョンヨッチョイジュゥンイッシィチョオン

「十里のあいだ麝香(じゃこう)の香りが続く」と言われたほど漢方薬店の集まっていた広州清平路。清平中薬材専業市場は、ここ清平路に1979年に開業し、複数の漢方薬店が一堂に介している。広州白雲山で最初に発見された巴戟天はじめ、広地竜、橘紅、高良姜、金銭白花蛇、砂仁、仏手、広陳皮、沉香、広藿香といった広州十大漢方薬をあつかっている(四川、

★★★

西関／西关 シイグゥアン／サァイグゥアン

上下九商業歩行街(上下九路)／上下九商业步行街 シャンシィアジィウルウ／ソォンハァガァオソォンイッボウハンガアイ

沙面／沙面 シャアミィエン／サアミィン

★★☆

下九路／下九路 シィアジィウルウ／ハァガァオロウ

広州酒家／广州酒家 グゥアンチョウジィウジャア／グゥオンジョウジャウガア

第十甫路／第十甫路 ディイシイフウルウ／ダイサッフウロウ

蓮香楼／莲香楼 リィアンシィアンロォウ／リィンホェンラァウ

露徳聖母堂／露德圣母堂 ルウダアシェンムウタァン／ロォウダアクシィンモォウトォン

★☆☆

清平路／清平路 チィンピィンルウ／チィンピィンロォウ

清平中薬材専業市場／清平中药材市场 チィンピィンチョンヤァオツァイシイチャアン／チィンピィンジョンヨッチョイジュゥンイッシィチョオン

梯雲路／梯云路 ティイユゥンルウ／タァイワァンロォウ

洗基路／洗基路 シィエンジイルウ／シィンゲエイロォウ

十八甫／十八甫 シイバアフウ／サッバアトフウ

文化公園／文化公园 ウェンフウアゴォンユゥエン／マンファッゴォンユン

懐遠駅旧址／怀远驿旧址 フウアイユゥエンイイジィウチイ／ワアイユゥンイッガァオジイ

六二三路／六二三路 リィウアアサァンルウ／ロッイィサアンロォウ

西橋(イングランド橋)／西桥 シイチィアオ／サァイキィウ

上下九広場／上下九广场 シャンシィアジィウグゥアンチュウアン／ソォンハァガァオグゥオンチャアン

宝華路／宝华路 バァオフウアルウ／ボォウワァロォウ

広東、雲南、貴州が漢方薬の本場として知られる）。

梯雲路／梯云路★☆☆

㊗ tī yún lù ㊗ tai¹ wan⁴ lou³

たいうんろ／ティイユゥンルウ／タァイワァンロォウ

清平路の北側を東西に走る、長さ300mの梯雲路。当初あった清平路南端に集まっていた露店は、清平路の中央、北部へと続き、やがて1980年には梯雲路も同じ商圏に組みこまれた。また梯雲路には、1928年に建てられた銭荘、醤油工房、質屋など、清末から民国時代（20世紀初頭）の建築群も残っている。

冼基路／冼基路★☆☆

㊗ xiǎn jī lù ㊗ sín gei¹ lou³

しょうきろ／シィエンジイルウ／シィンゲエイロォウ

十八甫エリアの一角に残る東西350m、幅5mほどの冼基路。明末、このあたりは珠江の河岸だったところで、清末民初、ここは広州でもっとも有名な医薬街であった（西欧式と中国式の双方が集まっていた）。1893年、孫文が冼基路で東西薬局を開いて、反清の革命活動を行なったという経緯もある。冼基東路と冼基西路からなり、中華民国時代の建築がならぶ。

懐遠駅旧址／怀远驿旧址★☆☆

㊗ huái yuǎn yì jiù zhǐ ㊗ waai⁴ yun, yik³ gau³ jí

かいえんえききゅうし／フゥアイユゥエンイイジィウチイ／ワアイユゥンイッガァオジイ

異国の使節を迎え入れた行政機関であった懐遠駅。明代の1406年にここ十八甫路におかれ、市舶司がさまざまな海外貿易の管理や外務にあたった（懐遠駅と同様の性格をもつ機関は、宋代から西湖薬洲にあり、外国の使者や商人が活動を行なった）。清代に入ると、懐遠駅は珠江から離れていたため、懐遠駅の南側に十三行の商館がつくられた。現在は、明代に懐遠駅が立っていた場所に地名が残っている。

六二三路／六二三路★☆☆

㊗ liù èr sān lù ㊗ luk³ yi³ saam¹ lou³

ろくにいさんろ／リィウアアサァンルウ／ロッイィサアンロォウ

沙面の北岸を包みこむように流れる沙基涌にそって走る六二三路。かつて沙基路、沙基大街と呼ばれ、清末民初（20世紀初頭）、広州でもっともにぎわう第一の大通りであった。ここでは陸揚げされた物資、小舟、商人や雑貨商、港湾労働者の姿があり、河岸に面して穀物などの倉庫もあった。1925年、上海で起こった五・三〇事件に連動して、6月23日に広州でもデモが起こり、沙面に面するこの通り（沙基大街）で、イギリス兵が発砲した事件が起こった。1926年に惨案紀念碑が建てられ、沙基大街は六二三路と改名された（この事件はストライキ省港大罷工につながっていった）。六二三路界隈は、かつてウエスト・バンドといい、西堤、長堤と呼ばれた沿江西路、沿江中路へと続いていく。

清平路近くの道端で売られていた野菜

清平中薬材専業市場はじめいくつかの市場が集まる

「(広東)沙面英租界に架せるイギリス橋」(京都大学附属図書館所蔵)部分

Sha Mian

沙面鑑賞案内

長らく中国の対外窓口だった広州
沙面はそれを象徴する場所
かつて租界と呼ばれた美しい街並みが残る

沙面／沙面★★★

㊗ shā miàn ㊍ sa[1] min[3]
さめん／シャアミィエン／サアミィン

近代、イギリスやフランス、アメリカ、ドイツといった西欧の領事館、商社がおかれ、現在でも美しい建築がならぶ島、沙面。広州古城の南西に位置し、西から流れてきた珠江がふた手にわかれる白鵝潭の地に浮かび、広州の深水港として利用されてきた。古くこの地は漁民や水上生活者の集まる木々の茂る沙州(拾翠洲)があり、明代、華節亭の立つ碼頭だった。その後、清朝中期、西固炮台がおかれて広州防衛のための砦となっていたが、1856年、第2次アヘン戦争の敗北で、1859年、イギリスとフランスに白鵝潭北岸一帯に租界をつくることを認めた(それは中国商人の商館を、西欧商人が借りて取引していた十三行夷館のすぐそばだった)。1861年、清とイギリスのあいだで「沙面租約協定」が結ばれ、西欧の領事館と商館の建設が決まったが、広州の中国人社会と接触しないようにするため、北側に川を掘って堤防をつくって、砂州を小さな島とした。こうして現在見られる沙面ができあがり、沙面東の5分の1をフランス、西の5分の4をイギリスが占領することになった。1865年にイギリス領事館、1890年にフランス領事館が拠点をおいたほか、アヘン戦争に深い関わりをもったジャーディン・マセソン商会は沙面で結成された。

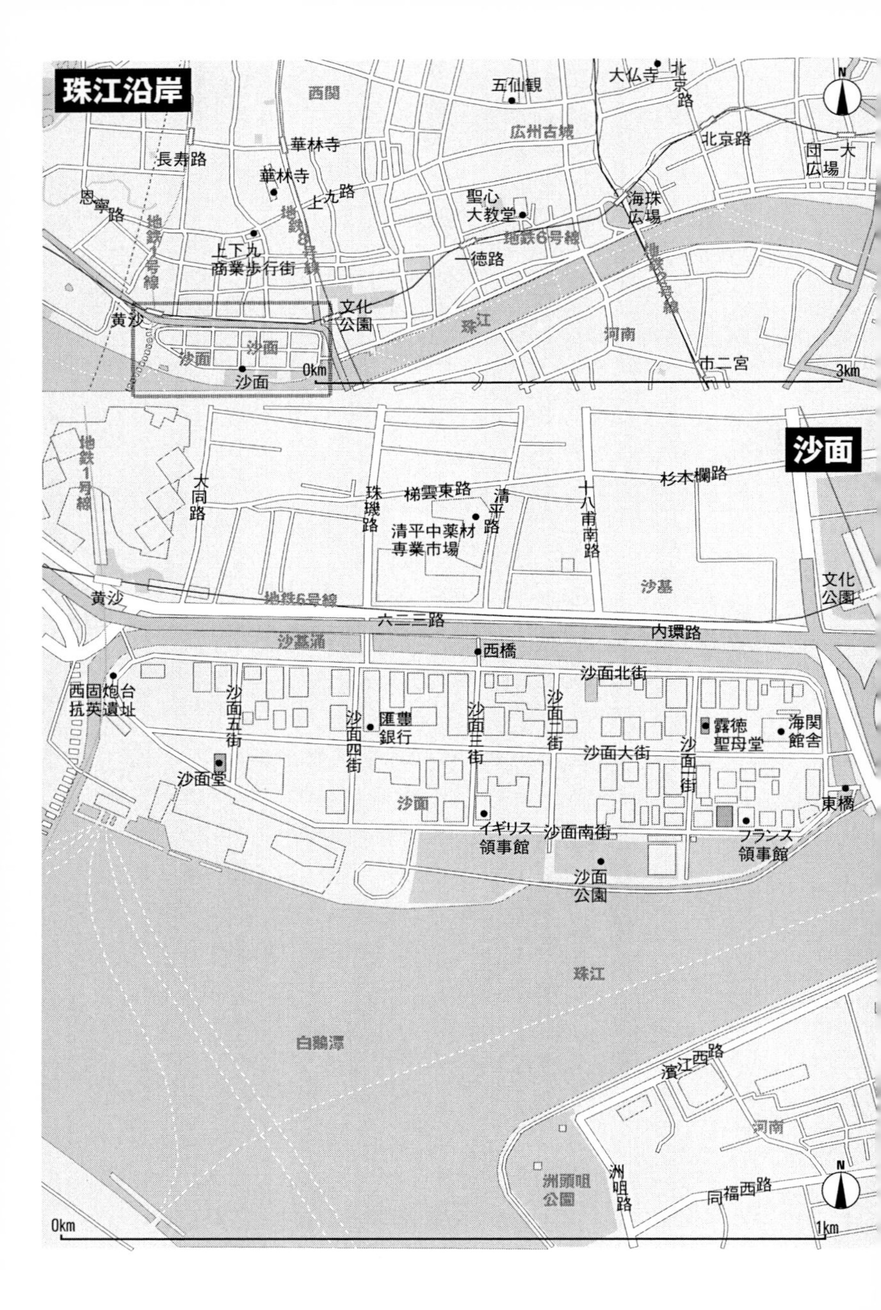

珠江沿岸
西関
五仙観
大仏寺
北京路
広州古城
北京路
団一大広場
華林寺
長寿路
華林寺
上九路
恩寧路
聖心大教堂
海珠広場
地鉄1号線
地鉄8号線
地鉄6号線
上下九商業歩行街
一徳路
地鉄2号線
黄沙
文化公園
珠江
河南
沙面
沙面
沙面
市二宮
0km
3km
沙面
地鉄1号線
大同路
杉木欄路
珠璣路
梯雲東路
清平路
十八甫南路
清平中薬材専業市場
沙基
文化公園
黄沙
地鉄6号線
六二三路
内環路
沙基涌
西橋
沙面北街
西固炮台抗英遺址
沙面五街
沙面四街
匯豊銀行
沙面三街
沙面二街
露徳聖母堂
海関館舎
沙面大街
沙面一街
沙面堂
沙面
イギリス領事館
沙面南街
東橋
フランス領事館
沙面公園
珠江
白鵝潭
濱江西路
河南
洲頭咀公園
洲咀路
同福西路
0km
1km

沙面にはイギリスやフランスのほか、ロシアや日本、アメリカやドイツ、ポーランドといった諸外国が進出し、新古典主義、ネオ・バロック、ゴシックなどの西欧建築が現れた（そのなかには日本領事館、三井や三菱、日本郵船、台湾銀行、インド人の邸宅もあった）。南を珠江に臨み、四面を河川に囲まれた島は、東西900m、南北300mの楕円形状で、周囲に塀がめぐらされ、2本の橋だけで広州市街と結ばれていた。19世紀以来の53の西欧建築がつくる美しい街並みが見られ、かつて広州のなかの西欧（租界）とたたえられた沙面は、現在、広州屈指の観光地となっている。

沙面の構成

沙面は珠江に浮かぶ東西900m、南北300mの楕円形状の島で、もともとの沙州の北側に水路をめぐらせて人工的につくられた。アヘン戦争後の1861年以降に西欧の租界となり、西の5分の4がイギリス租界、東の5分の1がフランス租界だった。イギリス租界には西橋（イングランド橋）、フランス租

★★★
沙面／沙面 シャアミィエン／サアミィン
★★☆
珠江／珠江 チュウジイアン／ジュウゴォン
フランス領事館（広東外事博物館）／广东外事博物馆 グゥアンドォンワァイシイボオウウグゥアン／グゥオンドォンンゴイシィボッマッグゥン
露徳聖母堂／露德圣母堂 ルウダアシェンムウタァン／ロォウダアクシィンモォウトォン
イギリス領事館／英国领事馆 イィングゥオリィンシイグゥアン／イィングゥオッリィンシィグゥン
★☆☆
海関館舎（紅楼）／海关馆舍 ハァイグゥアングゥアンシェエ／ホォイグゥアングゥンセエ
西橋（イングランド橋）／西桥 シイチィアオ／サァイキィウ
匯豊銀行（香港上海銀行）／汇丰银行 フゥイファンイィンハァン／ウゥイフォンンガンホォン
沙面堂／沙面堂 シャアミィエンタァン／サアミィントォン
西固炮台抗英遺址／西固炮台抗英遗址 シイグゥパァオタァイカァンイィンイイチイ／サァイグゥパアオトォイコォンイインワイジイ
清平路／清平路 チィンピィンルウ／チィンピィンロォウ
清平中薬材専業市場／清平中药材市场 チィンピィンチョンヤァオツァイシイチャアン／チィンピィンジョンヨッチョイジュゥンイッシィチョオン
梯雲路／梯云路 ティイユゥンルウ／タァイワァンロォウ
六二三路／六二三路 リィウアアサァンルウ／ロッイィサアンロォウ

界には東橋（フランス橋）がかかり、このふたつの橋以外では船に乗って沙面の碼頭に行くしかなかった。この沙面島の中央を東西に走る大通りが沙面大街で、当初は中林蔭道と呼ばれ、その後の1942年に復興路、1975年に長さ846m、幅30mの現在の姿となった。そしてこの沙面大街の北側の通りが沙面北街、南側の通りが沙面南街となる。これら東西の通りと直角に、南北の5本の通りが交差し、東から沙面一街、沙面二街、沙面三街、沙面四街、沙面五街となっている（沙面一街がフランス租界とイギリス租界の境界線だった）。

西橋（イングランド橋）／西桥★☆☆

㊗ xī qiáo ㊕ sai[1] kiu[4]

にしはし／シイチィアオ／サァイキィウ

沙面中央北側にかかる全長31.55m、幅4.8mの西橋。1861年にかけられ、沙面西側のイギリス租界と、中国人の広州を結ぶ橋であったことからイングランド橋と呼ばれていた。この橋は、東のフランス租界に入る東橋（フランス橋）とともに、長らく沙面に入る限られた手段であった（西欧人と中国人が接触をさけるため、沙基涌を掘って互いを隔離した）。そして、この西橋で中国人の出入りを監視し、租界（沙面）でトラブルが起きないようにした。3つの孔をもつ石づくりの橋となっている。

珠江／珠江★★☆

㊗ zhū jiāng ㊕ jyu[1] gong[1]

しゅこう／チュウジイアン／ジュウゴォン

珠江は中国華南を流れる最大の河川で、雲南省から流れる「西江」、湖南省、江西省南部から流れる「北江」、江西省から流れる「東江」という支流をあわせ、最大の西江は2129㎞の全長をもつ。広州市街の西部で「西江」と「北江」が合流し、広州市街の南東でさらに「東江」が合流する。珠江河口部では、流れは網の目のようになっていて、虎門や崖門など8つ

赤レンガの海関館舎（紅楼）

美しいたたずまい、キリスト教の露徳聖母堂

沙面東部に立つフランス領事館

豊かな水をたたえる珠江の流れ

の門から南海にそそぐ(清代、虎門よりさかのぼって対外勢力に入られることを、広州政府はきわめて嫌っていた)。「パール・リバー(真珠の流れ)」という美しい名称は、広州古城南付近の珠江中に海珠という砂州があったことからだとも、アラビアやペルシャ商人が交易用の真珠を川底に落とし、それによって川が光ったことによるとも言われる。唐代の珠江は、懐聖寺のミナレットあたりを流れていて、宋代、珠江は「小海」と記されているように海のように広かった。こうしたなか、珠江のもたらす土砂で河口部(番禺や南沙)の陸地化が進み、広州ほとりの珠江の流れも南下を続けた。現在、広州港は河港となっていて、そこから東にくだった、より深い黄埔港が海港として機能している。

フランス領事館(広東外事博物館)／广东外事博物馆★★☆

㊥ guǎng dōng wài shì bó wù guǎn ㊟ gwóng dung^{1} ngoi^{3} si^{3} bok^{2} mat^{3} gún

ふらんすりょうじかん(かんとんがいじはくぶつかん)／グゥアンドォンワァイシイボオウウグゥアン／グゥオンドォンンゴイシィボッマッグゥン

第2次アヘン戦争(1856～60年)で、清朝に勝利したイギリスとフランスは、沙面に租界(治外法権)を獲得し、1890年にフランス領事館が築かれた。フランス租界は沙面の東5分の1をしめ、あたりにはフランスの軍営や郵便局が位置し、フランス租界と沙基(広州)を結ぶ東橋(フランス橋)がかかっていた。このフランス領事館は1915年に建てられ、方形の平面に、青色の外壁をもつ高さ15mの2階建て建築で、四角錐の屋根をもつ。沙面を代表する植民地建築のひとつとなっている。

中法実業銀行、日本領事館／中法实业银行、日本领事馆★☆☆

㊥ zhōng fǎ shí yè yín háng、rì běn lǐng shì guǎn ㊟ jung^{1} faat^{2} sat^{3} yip^{3} ngan^{4} hong^{4}、yat^{3} bún ling, si^{3} gún

ちゅうほうじつぎょうぎんこう、にほんりょうじかん／チョンファアシイイィエイィンハァン、リイベェンリィンシイグゥアン／ジョンファッサッイッンガンホォン、ヤッブッンリィンシィグゥン

中法実業銀行、日本領事館という名称は、ここに両者が順番に入居していたことに由来する(途中で主が替わったため、こ

の名前となった)。1913年の創建で、地上3階、半地下1階からなる高さ21.5m、左右対称の建築は沙面南街に位置する。中国とフランスの合弁による銀行の中法実業銀行としてまず使われ、のちに日本領事館として利用された。

宝華義洋行／宝华义洋行★☆☆

㊗ bǎo huá yì yáng háng ㊛ bóu wa4 yi3 yeung4 hong4
ほうかぎようこう／バァオフゥアイイヤァンハァン／ボオウワァイィヨォンホォン

かつてフランス公園と呼ばれた公園の向かい、沙面南街に立つ宝華義洋行。宝華義洋行はフランス系の商社で、3階建て、黄色の外観をもつ建築は19世紀末に建てられた。

フランス郵便局／法国邮政局★☆☆

㊗ fà guó yóu zhèng jú ㊛ faat2 gwok2 yau4 jing2 gúk
ふらんすゆうびんきょく／ファアグゥオヨォウチェンジュウ／ファッグゥオッヤオジィングォク

沙面の南東隅、広州の陸地にもっとも近い、フランス橋のすぐそばに立つフランス郵便局。郵便や通信は19世紀末に整備が進み、このフランス郵便局は1901年に建てられた。高さ3階建てで、堂々としたたたずまいはフランス租界の玄関口にふさわしい建築だった。

海関館舎(紅楼)／海关馆舍★☆☆

㊗ hǎi guān guǎn shè ㊛ hói gwaan1 gún se2
かいかんかんしゃ(こうろう)／ハァイグゥアングゥアンシェエ／ホォイグゥアングゥンセエ

赤レンガの美しいたたずまいから「紅楼」とも呼ばれる1908年創建の海関館舎。高さ27.9m、地上3階建ての建築で、ベランダをもつ様式となっている。沿江西路に立つ粤海関が建てられる以前、ここに貿易の税務を行なう清朝の海関(税関)があった。同じく赤レンガ様式のソ連領事館を西紅楼と呼び、こちらを東紅楼ともいう。

珠江沿岸
西関
五仙観
大仏寺
北京路
広州古城
華林寺
長寿路
北京路
団一大広場
華林寺
上九路
恩寧路
地鉄1号線
地鉄8号線
聖心大教堂
海珠広場
地鉄6号線
上下九商業歩行街
一徳路
文化公園
珠江
黄沙
沙面
沙面東部
0km
沙面
市二宮
3km
沙面東部
十八甫南路
清平路
沙基
地鉄8号線
文化公園
地鉄6号線
内環路
六二三路
西橋
沙基涌
沙面北街
横浜正金銀行
旧アメリカ領事館
万国宝通銀行
沙面二街
台湾銀行広州支行
インド人住宅
永勝洋行
露徳聖母堂
フランス兵営
海関館舎
沙面大街
渣打銀行
沙面三街
沙宣洋行
東方匯理銀行
沙面一街
インド人住宅
沙面
西副楼
イギリス領事館
東副楼
中法実業銀行
日本領事館
宝華義洋行
フランス郵便局
東橋
太古洋行
沙面南街
フランス領事館
沙面公園
清代城防古炮
珠江
0m
500m

露徳聖母堂／露德圣母堂★★☆

㊥ lù dé shèng mǔ táng ㊣ lou³ dak¹ sing² mou, tong⁴

ろとくせいぼどう／ルウダアシェンムウタァン／ロォウダアッシィンモォウトォン

聖母マリアに捧げられたキリスト教会の露徳天主教聖母堂。露徳天主教聖母堂とはルルド・キリスト教・聖母マリア堂のことで、1858年にフランス南西部ルルドで、貧しい少女のもとにマリアが現れたという逸話にもとづく。上昇性ある建築は、高さ23.55m、3層からなり、美しい鐘楼をもつ。1890年の創建。

東方匯理銀行／东方汇理银行★☆☆

㊥ dōng fāng huì lǐ yín háng ㊣ dung¹ fong¹ wui³ lei, ngan⁴ hong⁴

とうほうかいりぎんこう／ドォンファンフウイリイイィンハァン／ドォンフォンウイレェインガンホォン

沙面一街3号、角地に立つ美しい4階建て建築の東方匯理

★★★

沙面／沙面 シャアミィエン／サアミィン

★★☆

フランス領事館（広東外事博物館）／广东外事博物馆 グゥアンドォンワァイシイボオウウグゥアン／グゥオンドォンンゴイシィボッマッグゥン

露徳聖母堂／露德圣母堂 ルウダアシェンムウタァン／ロォウダアクシィンモォウトォン

イギリス領事館／英国领事馆 イィングゥオリィンシイグゥアン／イィングゥオッリィンシィグゥン

珠江／珠江 チュウジイアン／ジュウゴォン

★☆☆

西橋（イングランド橋）／西桥 シイチィアオ／サァイキィウ

中法実業銀行、日本領事館／中法实业银行、日本领事馆 チョンファアシイイィエイィンハァン、リイベェンリィンシイグゥアン／ジョンファッサッイッンガンホォン、ヤッブッンリィンシィグゥン

宝華義洋行／宝华义洋行 バァオフゥアイイヤァンハァン／ボオウワァイィヨォンホォン

フランス郵便局／法国邮政局 ファアグゥオヨォウチェンジュウ／ファッグゥオッヤオジィングォク

海関館舎（紅楼）／海关馆舍 ハァイグゥアングゥアンシェエ／ホォイグゥアングゥンセエ

東方匯理銀行／东方汇理银行 ドォンファンフウイリイイィンハァン／ドォンフォンウイレェインガンホォン

台湾銀行広州支行／台湾银行广州支行 タァイワァンイィンハァングゥアンチョウチイハァン／トォイワアンンガンホォングゥオンジョウジイホォン

渣打銀行／渣打银行 チャアダアイィンハァン／ザアダアンガンホォン

太古洋行／太古洋行 タァイグウヤァンハァン／タァイグウヨォンホォン

横浜正金銀行、旧アメリカ領事館／正金银行、美国领事馆旧馆 チェンジィンイィンハァン、メェイグゥオリィンシイグゥアンジィウグゥアン／ジィンガアンンガンホォン、メェイグゥオッリィンシィグゥンガァウグゥン

万国宝通銀行／万国宝通银行 ワァングゥオバァオトォンイィンハァン／マアングゥオッボオウトォンンガンホォン

清平路／清平路 チィンピィンルウ／チィンピィンロォウ

六二三路／六二三路 リィウアアサァンルウ／ロッイィサアンロォウ

銀行。東方匯理銀行は1875年設立されたフランスの植民地銀行で、インドシナ銀行ともいった。やがて中国に進出し、沙面の東方匯理銀行は1899年に創建され、高さは22.3mになる。

台湾銀行広州支行／台湾银行广州支行★☆☆

㊔ tái wān yín háng guǎng zhōu zhī háng ㊈ toi4 waan1 ngan4 hong4 gwóng jau1 ji1 hong4

たいわんぎんこうこうしゅうしこう／タァイワァンイィンハァングゥアンチョウチイハァン／トォイワアンンガンホォングゥオンジョウジイホォン

沙面大街に面して立つ日系銀行の台湾銀行広州支店。台湾銀行は、日清戦争（1894～95年）後の1899年、台湾を獲得した日本によって設立された。台湾対岸の福建省、広東省への日本の進出にあわせて、広州でも開業し、この建物は1907年に建てられた。3階建て、高さ16.8mの新古典主義様式の建築で、1階は黄色と白のストライプ、2階と3階は堂々とした柱がならんでいる。

イギリス領事館／英国领事馆★★☆

㊔ yīng guó lǐng shì guǎn ㊈ ying1 gwok2 ling, si3 gún

いぎりすりょうじかん／イィングゥオリィンシイグゥアン／イィングゥオッリィンシィグゥン

沙面島のちょうど中央南岸、珠江にのぞむ最高の立地に立つイギリス領事館。イギリスは1793年に清朝に茶貿易の拡大と通商を求めたが、それはかなわず、北京から遠く離れた広州（十三行）で貿易を行なうことになった。こうしたなか中国茶の輸入による貿易赤字を埋めるため、イギリスはインド産アヘンを中国に輸出することを試みた。こうして起こったのがアヘン戦争（1840～42年）で、敗北した清朝は広州以外にも上海や福州を開港し、香港をイギリスに割譲した。続く第2次アヘン戦争（1856～60年）では、広州珠江に停泊していたアロー号の国旗のあつかいに言いがかりをつけたイギリスとフランスが清朝に戦争をしかけ、こちらも西欧が勝利した。そして1860年に天津条約が結ばれ、1861年に広州沙面が西欧の租界（半植民地）となった。イギリスは沙面のうち東側をのぞく5分の4を自らの租界とし、1865年、イギリス領事館が建てられた。このイギリス領事館は沙面最大の建築であり、2階建て、石づくりで格調高く、高さ15.8mの東副楼と高さ14.3mの西副楼という東西副楼をそなえている（中国と西欧の折衷様式）。現在は広東省人民政府外事辦公室が入居している。

太古洋行／太古洋行★☆☆

㊗ tài gǔ yáng háng ㊎ taai² gú yeung⁴ hong⁴

たいこようこう／タァイグウヤァンハァン／タァイグウヨォンホォン

通りをはさんでイギリス領事館の向かいに位置するイギリスの太古洋行。イギリスの中国進出にあわせて、「貿易」の怡和洋行（ジャーディン・マセソン商会）、「金融」の匯豊銀行（香港上海銀行）とともに「航運」の太古洋行が活躍していた。イギリス領事館とともに珠江に面する沙面でもっともよい場所に立ち、地上3階建て、レンガづくりの建築は1881年の創建。この太古洋行から2.5kmほどくだった南方に、太古洋行が利用していた太古倉（倉庫）が残っている。

新沙宣洋行／新沙宣洋行★☆☆

㊗ xīn shā xuān yáng háng ㊎ san¹ sa¹ syun¹ yeung⁴ hong⁴

しんさせんようこう／シィンシャアシュアンヤァンハァン／サアンサアシュウンヨォンホォン

ユダヤ系の商人デビッド・サスーンによる新沙宣洋行。デビッド・サスーンは、もともとムンバイを本拠としていて、イギリス東インド会社の拡大とともに一族は繁栄をきわめた（イギリスによる中国へのアヘン輸出にも一役買った）。新沙宣洋行は、20世紀初頭に建てられた4層、高さ22.25mの建築で、柱上部に美しい装飾が見える。太古洋行隣の沙面南街50号に位置する。

横浜正金銀行、旧アメリカ領事館／正金银行、美国领事馆旧馆★☆☆

㊗ zhèng jīn yín háng měi guó lǐng shì guǎn jiù guǎn ㊢ jing² gam¹ ngan⁴ hong⁴, mei, gwok² ling, si³ gún gau³ gún

よこはましょうきんぎんこう、きゅうあめりかりょうじかん／チェンジィンイィンハァン、メェイグゥオリィンシイグゥアンジィウグゥアン／ジィンガアンンガンホォン、メェイグゥオッリィンシィグゥンガァウグゥン

沙面大街に立つこの建築は、横浜正金銀行、旧アメリカ領事館と、時代によって主を替えた。20世紀初頭に日本の横浜正金銀行が入居し、戦前は日本の中国進出を金融面で支えた（横浜正金銀行は1880年に設立された外国為替銀行）。その後、アメリカ領事館として利用され、高さ16.8m、1階は伝統的な西洋の古典的な装飾、中国と西欧のスタイルの融合というように、建築様式も変遷を物語るいくつかの要素が組みあわさっている。

渣打銀行／渣打银行★☆☆

㊗ zhā dǎ yín háng ㊢ ja¹ dá ngan⁴ hong⁴

さだぎんこう／チャアダアイィンハァン／ザアダアンガンホォン

沙面大街と沙面三街のまじわる南西の角に立つ、渣打銀行（スタンダード・チャータード銀行）。渣打銀行は1853年にイギリスで設立され、香港では、香港上海銀行、中国銀行とともに香港ドルを発行するなど力をもった。広州沙面の渣打銀行は、20世紀初頭の建築で、高さは18mになる。

万国宝通銀行／万国宝通银行★☆☆

㊗ wàn guó bǎo tōng yín háng ㊢ maan³ gwok² bóu tung¹ ngan⁴ hong⁴

ばんこくほうつうぎんこう／ワァングゥオバァオトォンイィンハァン／マアングゥオッボオウトォンンガンホォン

20世紀初頭創建で、緑色の美しい古典様式をもつ万国宝通銀行。万国宝通銀行はアメリカの銀行で、広州、華南でのアメリカの進出を金融面で支えた。高さ18m、3層の建築で、前方に印象的な柱が見られる。

美しい租界時代の建物を利用したカフェ

フランス租界に残る法国兵営

沙面という島に外国商社や領事館が集まっていた

黄色や緑の建物、ヨーロッパのような街並み

珠江沿岸
西関
五仙観
大仏寺
北京路
広州古城
華林寺
長寿路
北京路
団一大広場
華林寺
恩寧路
上九路
聖心大教堂
海珠広場
地鉄1号線
地鉄8号線
地鉄6号線
上下九商業歩行街
一徳路
文化公園
珠江
黄沙
沙面西部
沙面
沙面
0km
市二宮
3km
沙面西部
地鉄1号線
大同路
珠璣路
清平路
黄沙
地鉄6号線
六二三路
内環路
沙基涌
沙面北街
三菱洋行
西橋
インド人住宅
横浜正金銀行
西固炮台抗英遺址
沙面西街
匯豊銀行
旗昌洋行
横浜正金銀行旧アメリカ領事館
赫徳爵士住宅
ソ連領事館
万国宝通銀行
沙面三街
沙面五街
天祥洋行
沙面大街
慎昌洋行
沙面堂
亜細亜火油公司旧址ドイツ領事館
渣打銀行
沙面
新沙宣洋行
イギリス領事館
沙面南街
太古洋行
白天鵝賓館
沙面公園
珠江
白鵝潭
0m
500m

慎昌洋行／慎昌洋行★☆☆

㊗ shèn chāng yáng háng ㊘ san[3] cheung[1] yeung[4] hong[4]

しんしょうようこう／シェンチャアンヤァンハァン／サァンチャアンヨォンホォン

19世紀末に建てられた、アメリカの慎昌洋行(洋行とは外国商社を意味する)。凹型のプランをもつ建築で、高さ18.9m、主楼3階、副楼5階建てとなっている。

滙豊銀行(香港上海銀行)／汇丰银行★☆☆

㊗ huì fēng yín háng ㊘ wui[3] fung[1] ngan[4] hong[4]

わいほうぎんこう(ほんこんしゃんはいぎんこう)／フゥイファンイィンハァン／ウゥイフォンンガンホォン

イギリスの中国進出を金融面で支えた滙豊銀行(香港上海銀行)。滙豊銀行はアヘン戦争(1840～42年)でのイギリスによる香港獲得にあわせて、1865年に香港で設立され、その同年にここ広州沙面でも開業した。4階建て、ドームをもつ高さ28.8mのこの建物は、1865年創建で、その後、1920年に重

★★★

沙面／沙面 シャアミィエン／サアミィン

★★☆

イギリス領事館／英国领事馆 イィングゥオリィンシイグゥアン／イィングゥオッリィンシィグゥン

珠江／珠江 チュウジイアン／ジュウゴォン

★☆☆

西橋(イングランド橋)／西桥 シイチィアオ／サァイキィウ

太古洋行／太古洋行 タァイグウヤァンハァン／タァイグウヨォンホォン

新沙宣洋行／新沙宣洋行 シィンシャアシュアンヤァンハァン／サアンサアシュウンヨォンホォン

滙豊銀行(香港上海銀行)／汇丰银行 フゥイファンイィンハァン／ウゥイフォンンガンホォン

横浜正金銀行、旧アメリカ領事館／正金银行、美国领事馆旧馆 チェンジィンイィンハァン、メェイグゥオリィンシイグゥアンジィウグゥアン／ジィンガアンンガンホォン、メェイグゥオッリィンシィグゥンガァウグゥン

渣打銀行／渣打银行 チャアダアイィンハァン／ザアダアンガンホォン

万国宝通銀行／万国宝通银行 ワァングゥオバァオトォンイィンハァン／マアングゥオッボオウトォンンガンホォン

慎昌洋行／慎昌洋行 シェンチャアンヤァンハァン／サァンチャアンヨォンホォン

亜細亜火油公司旧址、ドイツ領事館／英国亚细亚火油公司、德国领事馆 イィングゥオヤアシイヤアフゥオヨォウゴォンスウ、ダアグゥオリィンシイグゥアン／イィングゥオッアサァイアフォヤァウグゥンシイ、ダッグゥオッリィンシィグゥン

ソ連領事館／苏联领事馆、苏联驻华商务代表团广州办事处 スウリィエンリィンシイグゥアン、スウリィエンチュウフゥアシャアンウウダァイビィアオトゥアングゥアンチョウバァンシイチュウ／ソォウリュンリィンシィグゥン、ソォウリュンジュウワァソォンモォウドォイビィウトュングゥオンジョウバアンシィチュウ

沙面堂／沙面堂 シャアミィエンタァン／サアミィントォン

西固炮台抗英遺址／西固炮台抗英遗址 シイグウパァオタァイカァンイィンイイチイ／サァイグゥパアオトォイコォンイインワイジイ

三菱洋行(三菱商事)／三菱洋行 サァンリィンヤァンハァン／サアンリィンヨォンホォン

清平路／清平路 チィンピィンルウ／チィンピィンロォウ

六二三路／六二三路 リィウアアサァンルウ／ロッイィサアンロォウ

建されている。沙面大街と沙面四街のまじわる角地に立つ。

亜細亜火油公司旧址、ドイツ領事館／英国亚细亚火油公司、德国领事馆★☆☆

㊗ yīng guó yà xì yà huǒ yóu gōng sī dé guó lǐng shì guǎn ㊗ ying1 gwok2 a2 sai2 a2 fó yau4 gung1 si1、dak1 gwok2 ling, si3 gún

あじあかゆこうしきゅうし、どいつりょうじかん／イィングゥオヤアシイヤアフゥオヨォウゴォンスウ、ダアグゥオリィンシイグゥアン／イィングゥオッアサァイアフォヤァウグウンシイ、ダッグゥオッリィンシィグゥン

20世紀初頭に建てられたヴィクトリア様式の建築、亜細亜火油公司旧址、ドイツ領事館。高さ19.43m、3階建ての建築の外壁は黄色で装飾され、アーチの連続するベランダをもつ。南北に鐘楼、西側に副楼というように3つの建物からなる。

ソ連領事館／苏联领事馆、苏联驻华商务代表团广州办事处★☆☆

㊗ sū lián lǐng shì guǎn sū lián zhù huá shāng wù dài biǎo tuán guǎng zhōu bàn shì chù ㊗ sou1 lyun4 ling, si3 gún, sou1 lyun4 jyu2 wa4 seung1 mou3 doi3 bíu tyun4 gwóng jau1 baan3 si3 chyu2

それんりょうじかん／スウリィエンリィンシイグゥアン、スウリィエンチュウフゥアシャアンウウダァイビィアオトゥアングゥアンチョウバァンシイチュウ／ソォウリュンリィンシィグゥン、ソォウリュンジュウワァソォンモォウドォイビィウトュングゥオンジョウバアンシィチュウ

辛亥革命後の1916年に設立されたソ連領事館(ソ連は現在のロシア)。ソ連の代表は、1924年の一全大会に出席し、ここ広州で孫文を国共合作に踏切らせることを後押しした。この建築はイギリスのヴィクトリア様式の建築で、高さ16.8m、3階建て、赤レンガの美しいたたずまいを見せる(沙面大街68号に立ち、西紅楼とも呼ばれる)。また1950年代、同じ共産主義国であったソ連と中国は、二国間で経済協力体制をとり、貿易管理業務をここで行なっていた。

沙面堂／沙面堂★☆☆

㊗ shā miàn táng ㊗ sa1 min3 tong4

さめんどう／シャアミィエンタァン／サアミィントォン

1865年、沙面西部で創建されたイギリス聖公会の沙面堂(キリスト教教会)。黄色の外観をもつ建築は、3階建て、高さ27.86mで、美しいドームをもった鐘楼が見える。天に伸びあがるような上昇性をそなえ、内部では200人が礼拝できる。

西固炮台抗英遺址／西固炮台抗英遺址★☆☆

㊗ xī gù pào tái kàng yīng yí zhǐ ㊛ sai[1] gu[2] paau[2] toi[4] kong[2] ying[1] wai[4] ji

せいこほうだいこうえいいし／シイグウパァオタァイカァンイィンイイチイ／サァイグゥパアオトォイコォンイインワイジイ

清朝乾隆帝時代(在位1735～95年)におかれた沙面を守る砲台の西固炮台抗英遺址。当時、沙面は広州を防衛する要塞の機能をもち、西固炮台抗英遺址の大砲はアヘン戦争時の1841年に仏山で鋳造された。長らく放棄されていたが、1963年に沙面の復興路(沙面大街)から出土した。ふたつの大砲の大きいほうは、重さ4000kg、長さ3.7m、内径24cm、外径57cm、小さいほうは重さ3000kg、長さ3.2m、内径20cm、外径47cmとなっている。沙面と黄沙のあいだに位置する。

三菱洋行(三菱商事)／三菱洋行★☆☆

㊗ sān líng yáng háng ㊛ saam[1] ling[4] yeung[4] hong[4]

みつびしようこう(みつびししょうじ)／サァンリィンヤァンハァン／サアンリィンヨォンホォン

沙面北街65号に残る日本の三菱洋行(三菱商事)。日本の広州進出が本格化する1915年の創建で、高さ13.9m、3階建ての建築となっている。三菱洋行(三菱商事)と同じならびの沙面北街73号には高さ15.6m、4層の横浜正金銀行も残り、沙面北街はかつて昭和路と呼ばれていた(1938年、日本は広州を占領した)。

沙面の中心部に立つ渣打銀行

ふたつのアヘン戦争（19世紀）後に沙面は開発された

島の中心を東西に走る沙面大街

○△□という単純なかたち組みあわせて美しさを表現する

『(広東)沙面仏租界に架せるフランス橋』(京都大学附属図書館所蔵)部

Xi Di

西堤城市案内

**沙面から沙基大街（六二三路）、そして西堤
長堤へと続いていく波止場は
広州のバンド（外灘）と呼ばれた一帯だった**

西堤／西堤★☆☆

㊗ xī dī ㊛ sai[1] tai[4]

せいてい／シイディイ／サアイタァイ

沙面から西堤（沿江西路）、長堤（長堤大馬路）へと伸びる珠江沿いの道。その中心の西堤碼頭は、近代広州の港がおかれたところで、香港やマカオ路線の船が往来し、広州の外灘としてにぎわいを見せていた（朝、香港を出れば、夕方、広州に着いたという）。珠江の港は、唐代、五仙観（光塔寺）あたりにあったが、明代に懐遠駅、文化公園（十三行）、清代に沙面と、珠江の南遷とともに南下していった。19世紀末、沙面に西欧の租界がおかれると、そこに隣接する西堤碼頭に粤海関旧址（海関）や広州郵政博覧館（大清郵便局）が建てられ、中国商人、水夫、人力車、港湾労働者などが集まっていた（大量のヨーロッパ商品がやってきて、「広貨」と呼ばれる雑貨、日用品が広まった）。そして、百貨店の城外大新公司はじめ、高層ビル群がそびえる西堤は広州随一の繁栄を見せていたが、その中心は20世紀なかごろには上下九路や北京路へ遷っていった。周囲には沙基惨案紀念碑、広州文化公園などが位置し、西堤をあわせてあたり一帯は十三行景区を形成する。

珠江沿岸
西関
五仙観
大仏寺
北京路
広州古城
華林寺
北京路
団一大広場
長寿路
華林寺
上九路
恩寧路
地鉄1号線
地鉄8号線
聖心大教堂
海珠広場
地鉄6号線
上下九商業歩行街
一徳路
文化公園
珠江
黄沙
沙面
西堤
沙面
0km
市二宮
3km
西堤
十八甫路
楊巷路
桨欄路
一徳路
和平東路
康王南路
興隆北路
長楽路
洗基路
仁済西路
十三行路
地鉄8号線
人民南路
文化公園
労働学院旧址
文化公園
沙基
十三行博物館
西濠二馬路
大同酒家
西堤二馬路
嘉南堂
徳興路
靖遠路
城外大新公司旧址
新基路
郵政博覧館
粤海関旧址
海関館舍
西堤
沿江西路
新基渡頭
珠江
沙面
東橋
沙基惨案紀念碑
フランス郵便局
0m
500m
濱江西路

粤海関旧址／粤海关旧址★★☆

㊗ yuè hǎi guān jiù zhǐ ㊘ yut³ hói gwaan¹ gau³ jí

えつかいかんきゅうし／ユゥエハァイグゥアンジィウチイ／ユッホォイグゥアンガゥジイ

広州港の貿易事務や関税業務を行なったところで、西堤の中心に立つ粤海関旧址。この粤海関は、明代以降の海外交易需要の高まりを受けて、清代の1685年に設置された。それは中国で最初の海関で、当初は五仙門内にあった（1757年より外国貿易を広州一港に限定する広東体制がとられ、広東海関総督の管理のもと、中国人商人組織の十三行と西欧商人が取引にあたった）。アヘン戦争後の1860年、粤海関は新たに現在の場所におかれ、1872年に粤海関大楼が重建された。そのときから税務司には常にイギリス人が任用されることになり、貿易事務にあたって、よりイギリスの権限が強くなった。現在の欧州古典様式の建築、粤海関旧址は1914～16年に建てられ、花崗岩を素材とし、4層、高さ31.85mの堂々としたたたずまいを見せる。前面には列柱がならび、鐘楼の上部四方の時計は1915年にイギリスで製造されたものが使われている。粤海関の四文字は、広州海関に変えられた。

★★★

沙面／沙面 シャアミィエン／サアミィン

★★☆

粤海関旧址／粤海关旧址 ユゥエハァイグゥアンジィウチイ／ユッホォイグゥアンガゥジイ

十三行博物館／十三行博物馆 シィンサァンハァンボオウウグゥアン／サッサアンホォンボッマッグゥン

一徳路／一德路 イイダアルウ／ヤッダッロウ

珠江／珠江 チュウジイアン／ジュウゴォン

★☆☆

西堤／西堤 シイディイ／サアイタァイ

郵政博覧館／邮政博览馆 ヨォウチェンボオラァングゥアン／ヤァウジィンボッラアングゥン

城外大新公司旧址／城外大新公司旧址 チェンワァイダアシィンゴォンシイジィウチイ／シィンンゴイダアイサアングォンシイガァオジイ

文化公園／文化公园 ウェンフゥアゴォンユゥエン／マンファッゴォンユン

冼基路／冼基路 シィエンジイルウ／シィンゲエイロォウ

労働学院旧址／劳动学院旧址 ラァオドォンシュエユゥエンジィウチイ／ロォウドォンホッユウンガオジイ

嘉南堂／嘉南堂 ジィアナァンタァン／ガアナアントォン

大同酒家／大同酒家 ダアトォンジィウジィア／ダアイトォンザァオガア

フランス郵便局／法国邮政局 ファアグゥオヨォウチェンジュウ／ファッグゥオッヤオジィングォク

海関館舎（紅楼）／海关馆舍 ハァイグゥアングゥアンシェエ／ホォイグゥアングゥンセエ

郵政博覧館／邮政博览馆★☆☆

㊓ yóu zhèng bó lǎn guǎn ㊗ yau⁴ jing² bok² laam, gún

ゆうせいはくらんかん／ヨォウチェンボオラァングゥアン／ヤァウジィンボッラアングゥン

郵便や通信などの業務を行ない、粤海関とともに広州港の象徴的な建築であった郵政博覧館(郵政は近代化を象徴するものだった)。明清以前から、中央政府は珠江沿いに郵便局の機能をもった役所をおいて公文書を届けていた。清朝末期の1897年、ここに大清郵政広州総局(大清郵局)がおかれ、火災で消失あと、イギリス人技師による設計で1916年に建設されて現在にいたる。主楼は高さ18m、3階建ての建築で、1階にはさまざまな切手の展示、2階と3階では郵政の歴史、清朝や民国時代、広州の郵便事情などが見られる。

城外大新公司旧址／城外大新公司旧址★☆☆

㊓ chéng wài dà xīn gōng sī jiù zhǐ ㊗ sing⁴ ngoi³ daai³ san¹ gung¹ si¹ gau³ jí

じょうがいだいしんこうしきゅうし／チェンワァイダアシィンゴォンシイジィウチイ／シィンンゴイダアイサアングォンシイガァオジイ

新新、先施、永安とともに広州四大百貨公司のひとつで、広州でもっとも由緒正しい百貨店の城外大新公司旧址。オーストラリア華僑の蔡昌、蔡興が1912年に新大新を香港ではじめ、その後、1914年に広州でも開業した。この「城内大新」に対して、1918年に建てられたここ西堤の大新を「城外大新」と呼び、12階建て、屋上に遊芸場をそなえ、ホテル、レストランをあわせた複合施設は「百貨」という名前で営業した。城外大新公司旧址は、広州初の鉄筋コンクリートづくりの高層ビルでもあり、現在は南方大厦の名前で知られている。

文化公園／文化公园★☆☆

㊓ wén huà gōng yuán ㊗ man⁴ fa² gung¹ yun⁴

ぶんかこうえん／ウェンフゥアゴォンユゥエン／マンファッゴォンユン

珠江河畔、南の西堤二馬路と北の十三行路のあいだに位置する文化公園。このあたりは清代、中国の対外貿易を一

長堤から北京路、天河、広州に摩天楼が現れていった

広州の外灘に立つ堂々とした粤海関旧址

碼頭に残る沙基惨案紀念碑

珠江から世界へと道は続いていた

手に引き受けた十三行があったが、二度のアヘン戦争(19世紀)で焼かれてしまった。その後、1951年に華南土特産展覧交流会の会場となり、翌1952年、嶺南文物宮となった。1956年、市民のための文化娯楽場所の文化公園として開園し、迎春花会、中秋灯会、羊城菊会などが行なわれている。野外劇場、将棋場、卓球場、水族館などを併設する。

十三行博物館／十三行博物馆★★☆

㊗ shí sān háng bó wù guǎn ㊛ sap[3] saam[1] hong[4] bok[2] mat[3] gún

じゅうさんこうはくぶつかん／シィンサァンハァンボオウウグゥアン／サッサアンホォンボッマッグゥン

文化公園とその北側の十三行路には、清代に中国の対外貿易を独占した十三行があり、この十三行についての展示が見られる十三行博物館(「行」とは商売を行なう店舗のことで、お金をあつかう銀行という名称で残っている。十三行という名称は、十三の「行」からとられたとも、その数とは関係がないともいう)。中国と外国商人のあいだの取引をとりもつ仲買人が明代からいて、清代の1685年に粤海関が設立されると、16の行商に生糸、茶などの貿易業務を担当させ、清朝に代わって税関申告、納税、商品の売買関税の徴収を行なった。当時の広州は、日本江戸時代の長崎出島のような性格をもち、「天子南庫(皇帝の南の倉庫)」と言われ、十三行は外国貿易を独占する特権を得ていた。十三行のなかでも怡和行の伍崇曜、同孚行の潘仕成はじめ、潘、盧、伍、葉の4氏族が莫大な富を築き、その拠点のあった西関は繁栄をきわめた。十三行博物館あたりには外国商館(十三行夷館という13の建物で、西欧商人が借りあげて交易を行なった)がならんでいたが、アヘン戦争中の1842年と1856年に焼き討ちにあい、やがて貿易の中心は沙面に遷った。その後、十三行路という地名が残るばかりだったが、2016年にこの十三行博物館が開館した。1階では十三行の風貌、十三行や中国と西欧の出合い、近代に向かう歴史の展示、2階では広州彩瓷や刺繍、象牙の器、家具、書画などが見られる。

槳欄路／桨栏路★☆☆

㊥ jiǎng lán lù ㊦ jéung laan⁴ lou³

しょうらんろ／ジィアンラァンルウ／ジャアンラアンロォウ

全長150m、幅10m、珠江近くのこじんまりとした路地の槳欄路。かつてこの通りで「槳(舟をこぐオール)」を売っていたこと、卸売市場を意味する「欄」から、槳欄路という名称がつけられた。清代、十三行のすぐ隣にあたり、民国時代に入ると薬局がならんでいた。20世紀になると服装品をあつかう店が集まるようになり、槳欄路から光復南路にかけての一帯には清末民初の建築も残る。

槳欄路の蛇王満蛇館

広東省や香港などでは「三蛇」「五蛇」に代表される数種類のヘビを煮込んだスープが食べられている。この地域でとれるヘビは100種類以上と言われ、とくにヘビが養分をたくわえる冬眠前に食すことが好まれ、また酒に入れて飲むことで神経痛や関節炎にも効果があるという。清末、漢方の材料などのためにヘビを捕まえていた呉名満が、1885年に蛇王満蛇館を開店し、ヘビの胆汁やかんたんなヘビ料理を出していた。この蛇王満蛇館の商売は繁盛し、当初、沙面に隣接する六二三路新基中にあったが、1935年に槳欄路に遷った。1938年に被災し、その後、1950年代に何度かかたちが変わったが、引き続き、槳欄路で営業を続けた。満蛇館でもっとも知られた料理は、眼鏡蛇、過樹榕、金環蛇を使った「三蛇」で、ほかにも「菊花龍虎鳳」「煎鑲鮮蛇脯」「龍鳳満壇香」などが人気を博した。この蛇王満蛇館は1999年に営業を終えたが、この店舗で蛇を食べる人の姿は長らく広州の風物詩として知られていた。

労働学院旧址／劳动学院旧址★☆☆

㊗ láo dòng xué yuàn jiù zhǐ ㊖ lou4 dung3 hok3 yún gau3 jí

ろうどうがくいんきゅうし／ラァオドォンシュエユゥエンジィウチイ／ロォウドォンホッユウンガオジイ

1926年6月28日に創建され、労働者階級の最高学府だった労働学院旧址。1924年に広州で国共合作がなったあと、それまであまり教育を受けてこなかったこの階級が、帝国主義や組織、政治、経済、歴史をここで学んだ。人民南路10号に残る。

嘉南堂／嘉南堂★☆☆

㊗ jiā nán táng ㊖ ga1 naam4 tong4

かなんどう／ジィアナァンタァン／ガアナアントォン

1920年代の広州、不動産事業で名をはせた嘉南堂。1919～1921年に建てられた7層、高さ30mほどの建築で、前方には騎楼が続いている。嘉南堂は、1867年生まれのキリスト教徒、張立才によるもので、嘉南という言葉は聖書の「カナン（祝福された土地）」からとられている。愛群大廈など近代広州を代表する建築の集まる西濠口に位置し、南楼、西楼と南華第一楼の三棟をあわせて嘉南堂と呼ぶ。

大同酒家／大同酒家★☆☆

㊗ dà tóng jiǔ jiā ㊖ daai3 tung4 jáu ga1

だいどうしゅか／ダアトォンジィウジィア／ダアイトォンザァオガア

大同酒家は戦前の1938年に日本人中沢親礼のはじめた広州園酒家を前身とする。1942年、中沢親礼は広州園酒家を香港の馮倹生に売り、名前も大同酒家と変更された。1930年代の広州で建てられた中華民国時代の建築様式をもつ。

Xin Cheng Nan Guan Xi Fang

新城南関西部城市案内

珠江の南遷にあわせるように
広州古城の南に、新城そして南関が築かれた
それは明清から民国へと遷る街の姿も表している

長堤大馬路／长堤大马路★☆☆

㊗ zhǎng dī dà mǎ lù ㊘ cheung⁴ tai⁴ daai³ ma, lou³

ちゅうていだいまろ／チャンディイダアマアルウ／チョオンタァイダアイマアロォウ

アヘン戦争(1840～42年)後に本格的に港が開かれた広州で、華僑が次々に投資し、近代、随一のにぎわいを見せた長堤大馬路。1932年以前は、ここ長堤大馬路が珠江の北岸であり、長さ710m、幅12mの通りの両脇には、ホテル、レストラン、商社、質屋、デパートがずらりとならんでいた。そのなかにはフカヒレ料理や大三元月餅などで知られた広東料理の名店の大三元酒家、海外の高級ブランド品などをあつかった百貨店の先施公司など、広州を代表する店舗の姿があった(銀行や保険会社が集まる金融街でもあった)。当時の長堤大馬路は騎楼が続き、西洋のスタイルをいち早くとり入れた住宅や、近代広州のファッションやライフスタイルの発信地となっていた。長堤という名称は、1920年にここに堤防が築かれ、長堤といったことにちなむ。

愛群大酒店／爱群大酒店★☆☆

㊗ ài qún dà jiǔ diàn ㊘ oi² kwan⁴ daai³ jáu dim²

あいぐんだいしゅてん／アイチュウンダアジィウディエン／オイクゥアンダアイザァウディン

珠江河畔、三角形の土地に立つ1937年創建の愛群大酒店。陳卓平が海外華僑の資本を集めて香港愛群人寿保険有限

珠江沿岸
西関
広州古城
大仏寺
北京路
五仙観
華林寺
長寿路
大徳路
北京路
団一大広場
大新路
華林寺
上九路
聖心大教堂
恩寧路
地鉄1号線
地鉄6号線
海珠広場
上下九商業歩行街
一徳路
新城南関西部
沿江西路
文化公園
黄沙
珠江
沙面
0km
市二宮
3km
沙面
新城南関西部
広州古城
広州起義路
大徳路
玉帯濠
濠畔街
小新街
広州新城
大新路
聖心大教堂
白米巷
解放南路
元錫巷
濠畔街清真寺
海珠南路
天成路
先施公司附属建築群旧址
聖心大教堂
万菱広場
海珠広場
海珠広場
状元坊
売麻街
一徳路
人民南路
一徳路
安亜薬行旧址
中共中央華南分局
五仙門発電廠旧址
中法韜美医院旧址
西関
地鉄6号線
明珠影画院旧址
海珠大戯院
東亜酒店
永安堂
解放大橋
大馬路
潮州会館
長堤
沿江西路
豫章書院
博済医院教堂旧址
労働学院旧址
愛群大酒店
大同酒家
珠江
嘉南堂
濱江西路
河南
西堤
南華東路
新基渡頭
宝崗大道
同福中路
0km
海幢寺
1km

公司の広州支店として建てたことをはじまりとする。高さ64m、15階建てのビルは、当時としては斬新なもので、広州を代表する「広州建築之新紀元」とたたえられていた。広州交易会のはじまった1957年から1961年まで外国の要人が泊まったところで、そのすぐあとの文革中は人民大厦と名前を変えていた。

★★★

聖心大教堂／圣心大教堂 シェンシィンタァン／シィンサアンダアイガアウトォン

★★☆

一徳路／一德路 イイダアルウ／ヤッダッロウ
珠江／珠江 チュウジイアン／ジュウゴォン

★☆☆

長堤大馬路／长堤大马路 チャンディイダアマアルウ／チョオンタァイダアイマアロォウ
愛群大酒店／爱群大酒店 アイチュウンダアジィウディエン／オイクゥアンダアイザァウディン
豫章書院／豫章书院 ユウチャアンシュウユゥエン／ユウジョオンシュウユゥン
潮州会館／潮州会馆 チャオチョウフゥイグゥアン／チィウザァウウイグゥン
東亜酒店／东亚酒店 ドォンヤアジィウディエン／ドォンアザァウディン
海珠大戯院／海珠大戏院 ハァイチュウダアシイユゥエン／ホォイジュウダアイヘェイユゥン
博済医院教堂旧址／博济医院教堂旧址 ボオジイイイユゥエンジィアオタァンジィウチイ／ボッザァイイイユゥンガアウトォンガァウジイ
永安堂／永安堂 ヨォンアァンタァン／ウィンオントォン
明珠影画院旧址／明珠影画院旧址 ミィンチュウイィンフゥアジィウチイ／ミィンジュウイィンワァユウンガァウジイ
中共中央華南分局秘密連絡点中原行旧址／中共中央华南分局秘密联络点中原行旧址 チョングォンチョンヤァンフゥアナァンフェンジュウミイミイリィアンルゥオディエンチョンユゥエンシィンジィウチイ／ジョングォンジョンユゥンワァナアンファンゴォッベイマッリィンロッディンジョンユンホンガオジイ
広州新城／广州新城 グゥアンチョウシィンチャアン／グゥオンジャウサアンシン
安亜薬行旧址／安亚药行旧址 アァンヤアヤァオシィンジィウチイ／オンアヨッホンガウジイ
先施公司附属建築群旧址／先施公司附属建筑群旧址 シィエンシイゴォンシイフウシュウジィエンチュウチュンジィウチイ／シィンシイゴォンシイフウスッギィンジョッゥアンガウジイ
万菱広場／万菱广场 ワァンリィングゥアンチュゥアン／マアンリィングゥオンチャアン
状元坊／状元坊 チュウアンユゥエンファン／ジョンユゥンフォン
濠畔街清真寺／濠畔清真寺 ハァオパァンチィンチェンスウ／ホウブンガアイチィンジャンジイ
大新路／大新路 ダアシィンルウ／ダアイサァンロウ
海珠広場／海珠广场 ハァイチュウグゥアンチュウアン／ホオイジュウグゥオンチャアン
五仙門発電廠旧址／五仙门发电厂旧址 ウウシィアンメェンファアチャアンジィウチイ／ンシィンムンファッディンチョオンガウジイ
労働学院旧址／劳动学院旧址 ラァオドォンシュエユゥエンジィウチイ／ロォウドォンホッユウンガオジイ
嘉南堂／嘉南堂 ジィアナァンタァン／ガアナアントォン
大同酒家／大同酒家 ダアトォンジィウジィア／ダアイトォンザァオガア
西堤／西堤 シイディイ／サアイタァイ

豫章書院／豫章书院★☆☆

㊗ yù zhāng shū yuàn ㊗ yu³ jeung¹ syu¹ yún

よしょうしょいん／ユウチャアンシュウユゥエン／ユウジョオンシュウユゥン

広東省各県の羅氏の共通の先祖をまつる祠堂、書院建築の豫章書院。清末の1893年創建で、科挙のときに一族の子弟が寄宿していた。「豫章書院」の文字は李鴻章によるもので、中華民国（1912〜49年）時代は広東省中の名士が集まって会合をする場にもなっていた。真光中学校内に位置し、幅14.15m、奥行36.4mの規模をもつ三間三進の建築の屋根は緑色琉璃瓦でふかれている。

潮州会館／潮州会馆★☆☆

㊗ cháo zhōu huì guǎn ㊗ chìu⁴ jau¹ wui³ gún

ちょうしゅうかいかん／チャオチョウフゥイグゥアン／チィウザァウウイグゥン

広東省東部の潮州、汕頭出身の人たちが集まる互助組織がおかれていた潮州会館。潮州人は広東語とは異なる潮州語を話し、広州での科挙時に利用する目的で、清末の1874年に広東、香港、マカオなどの潮州商人によって建てられた（5万両以上の銀が寄贈されたという）。真光中学校の敷地内にあり、そり返った屋根、繊細な木彫の彫刻で彩られている。

東亜酒店／东亚酒店★☆☆

㊗ dōng yà jiǔ diàn ㊗ dung¹ a² jáu dim²

とうあしゅてん／ドォンヤアジィウディエン／ドォンアザァウディン

香港、マカオ、東南アジアに広がる広東人世界でも名の通った、広州で最初、最高のホテルだった東亜酒店。オーストラリア華僑である馬応彪が1914年に設立し、正式名称を「先施有限公司環球貨品粤行東亜大酒店」といった。中国人のニーズにあわせて、西欧式のホテルを百貨店のなかに設置したり、映画館や屋上に遊楽場を配置して人気を博した。1941年まではイギリス国旗をかかげていたので日本軍の攻撃をまぬがれたが、やがて日本統治下には大東亜飯店となり、その後、1986年に東亜酒店となった。幅12m、奥行86m、7階建ての5階と6階のあいだに赤い文字で「東亜」と記されている。

海珠大戯院／海珠大戏院★☆☆

㊥ **hǎi zhū dà xì yuàn** ㊩ **hói jyu1 daai3 hei2 yún**

かいじゅだいぎいん／ハァイチュウダアシイユゥエン／ホォイジュウダアイヘェイユゥン

長堤大馬路に立つ広州でもっとも由緒正しい劇場の海珠大戯院。清末の1902年に建てられた同慶戯院を前身とし、粤劇や音楽の演奏会などが行なわれ、4層からなる近代西欧建築のたたずまいを見せる。海珠大戯院で活躍すれば、その役者の価値は10倍になるとも言われ、梅蘭芳もこの劇場の舞台に立っている。20世紀初頭、珠江の南北岸にあった広州五大劇場のひとつで、そのうち海珠大戯院ばかりが残っている。海珠という名称は、このあたりの珠江の川面に浮かんでいた岩礁島(海珠石)の名前からとられている。

博済医院教堂旧址／博济医院教堂旧址★☆☆

㊥ **bó jì yī yuàn jiào táng jiù zhǐ** ㊩ **bok2 jai2 yi1 yún gaau2 tong4 gau3 jí**

はくさいいいんきょうどうきゅうし／ボオジイイイユゥエンジィアオタァンジィウチイ／ボッザァイイイユゥンガアウトォンガァウジイ

中国で最初の西洋医学病院で、革命家孫文(1866～1925年)が学んだことでも知られる博済医院教堂旧址(南華医学堂)。1835年、今の十八甫あたりにアメリカ人宣教師が開いた眼科医局を前身とし、1866年に現在の広州仁済大街に遷ってきた。その後、1886年にアメリカ帰りの孫文が入学し、鄭士良(1863～1901年)とここで出合い、1年ほど革命活動を行なった。博済医院は1930年に嶺南大学に編入され、現在は高さ5m、花崗岩製の「孫逸仙博士開始学医及革命運動策源地」の碑が立つ。

永安堂／永安堂★☆☆

㊗ yǒng ān táng ㊗ wing, on[1] tong[4]

えいあんどう／ヨォンアァンタァン／ウィンオントォン

東南アジア華僑で、実業家の胡文虎（1883～1954年）が開いた漢方薬店の永安堂。胡文虎は福建省奥地の客家出身で、東南アジアで筋肉疲労に効く軟膏タイガーバーム（虎標万金油）をつくって財をなした。1930年代初頭、広州に戻ってきた胡文虎はここ珠江沿いの永安堂に、タイガーバームの生産、販売拠点をおいた。幅26.9m、奥行26.3m、5層からなり、さらにそのうえに5層の鐘楼が載る凸字型の近代建築で、当時、愛群大厦についで広州で2番目に高い建物だった。

明珠影画院旧址／明珠影画院旧址★☆☆

㊗ míng zhū yǐng huà yuàn jiù zhǐ ㊗ ming[4] jyu[1] yíng wa[3] yún gau[3] jí

めいじゅえいがいんきゅうし／ミィンチュウイィンフゥアジィウチイ／ミィンジュウイィンワァユウンガァウジイ

長堤大馬路に位置し、1921年開業の明珠影画院旧址（羊城電影院）。無声映画時代からの伝統をもち、広州でもっとも古い映画館のひとつだった。柱廊をもつ2層の建築で、騎楼が続くなか、「PEARL」の文言が見える。

中共中央華南分局秘密連絡点中原行旧址／中共中央华南分局秘密联络点中原行旧址★☆☆

㊗ zhōng gòng zhōng yāng huá nán fēn jú mì mì lián luò diǎn zhōng yuán xíng jiù zhǐ ㊗ jung[1] gung[3] jung[1] yeung[1] wa[4] naam[4] fan[1] guk[3] bei[2] mat[3] lin[4] lok[2] dím jung[1] yun[4] hong[4] gau[3] jí

ちゅうきょうちゅうおうかなんぶんきょくひみつれんらくてんちゅうげんこうきゅうし／チョングォンチョンヤァンフゥアナァンフェンジュウミイミイリィアンルゥオディエンチョンユゥエンシィンジィウチイ／ジョングォンジョンユゥンワァナァンファンゴォッベイマッリィンロッディンジョンユンホンガオジイ

1930年設立の嘉応会館を前身とする中共中央華南分局秘密連絡点中原行旧址（嘉応は広東省東部山間部の梅州市の古名）。騎楼の見える近代建築で、幅20m、奥行20mの規模をもつ。国共分裂後の1946～49年、ここは中国共産党の秘密連絡拠点となっていた。

広州新城／广州新城★☆☆

㊗ guǎng zhōu xīn chéng ㊗ gwóng jau¹ san¹ sing⁴

こうしゅうしんじょう／グゥアンチョウシィンチャアン／グゥオンジャウサアンシン

北京路を中心とする広州古城には、長らく広州(広東省)の行政府がおかれ、2000年の伝統をもつ。より珠江に近い広州古城の南側に広がる広州新城は、明(1368～1644年)代に築城されて以来のもの。明の1564年に、軍閥拓林による兵乱が起こり、この教訓をふまえて広州総督呉桂芳は新城を増築した(珠江は時代がくだるとともに、より南を流れるようになり、広州古城の南に空白地帯ができていた)。これを外城ともいい、北京と同じように広州でも、北側の内城(古城)と南側の外城(新城)という二城体制となっていた。明代の広州は人口が多く、珠江に近い古城と新城がにぎわっていたという。

一徳路／一德路★★☆

㊗ yī dé lù ㊗ yat¹ dak¹ lou³

いっとくろ／イイダアルウ／ヤッダッロウ

一徳路は、広州古城の南西側を東西に走る長さ1300m、幅16mのにぎやかな通り。古くは広州城外にあたったが、防衛上の理由と珠江の南遷があいまって、明代、この地に新城(外城)がつくられて、広州古城にくみこまれた。一徳路は広州新城の南城壁基部の箇所で、1920年にそれは撤去されて道路となり、明清時代に一徳学社があったことから一徳路という名前がつけられた。この地には両広総督の両広総督府(今の聖心大教堂)や城門があり、19世紀末にはフランスのキリスト教会、聖心大教堂が建てられた(それに応じてフランス商人が暮らすようになった)。19世紀末になると北京路や上下九路よりも早く、騎楼が出現した通りであることも特筆される。現在、果物市場、野菜市場、魚市場の集まる「三欄(3つの市場)」とも呼ばれ、軒先にならぶ魚やエビ、貝などの干しもの、サンザシなどが独特の匂いを放っている。

聖心大教堂／圣心大教堂★★★

㊗ shèng xīn táng ㊎ sing² sam¹ daai³ gaau² tong⁴

せいしんだいきょうどう／シェンシィンタァン／シィンサアンダアイガアウトォン

広州古城の南部にそびえるゴシック様式の美しいキリスト教会の聖心大教堂。1888年の創建で、美しい2本の尖塔をもち、花崗岩製の堂々とした姿を見せている。珠江に近い新城靖海門内にあたる聖心大教堂の地には清代、両広総督葉名琛(1807～59年)の邸宅があったが、第2次アヘン戦争(1856～60年)でイギリスとフランス軍に焼かれてしまった。そして、1858年の天津条約でこの地はフランスに割譲され、両広総督の官邸所在地にフランスによるカトリック教会が建てられることになった。1863年に着工し、25年の月日をかけて1888年に竣工し、建築本体の美しい花崗岩は香港の九龍から運ばれたという。東西35m、南北78.69mのプランに、高さ58.5mの東塔楼と西塔楼が立ち、フランスの本土のノートルダム大聖堂に似たたたずまいを見せる。広州最大のキリスト教会でもあり、当時のフランス皇帝ナポレオン3世の支援のもと、フランス人建築家によって設計された。印象的な花崗岩から石室天主堂とも呼ばれ、「石室」の愛称でも親しまれている。

広州にキリスト教が布教されるまで

南海からインド洋へ続く中国の玄関口(南大門)にあたる広州。大航海時代を迎えた西欧も、広州とその近郊の中国沿岸部に到来した。明代の1557年、ポルトガルがマカオを獲得すると、マカオはキリスト教布教の橋頭堡となり、その影響は広州にもおよんだ。西欧のキリスト教布教は、交易、天文学(暦)の知識、武器の売買などを通じたものだったが、清代の1723年の禁教令で、中国にいた宣教師は一部をのぞいて、広州もしくはマカオに追放された(キリスト教の教えが、皇帝を中心とする儒教と相容れないものだった)。同時代にフランシスコ・ザ

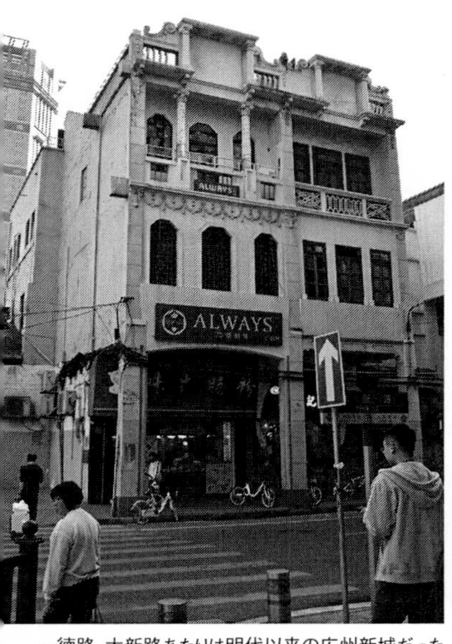

一徳路、大新路あたりは明代以来の広州新城だった

フランスによるカトリック教会、聖心大教堂

軒先に積みあげられた食品、一徳路にて

美しい花崗岩の建築に彫刻がほどこされている

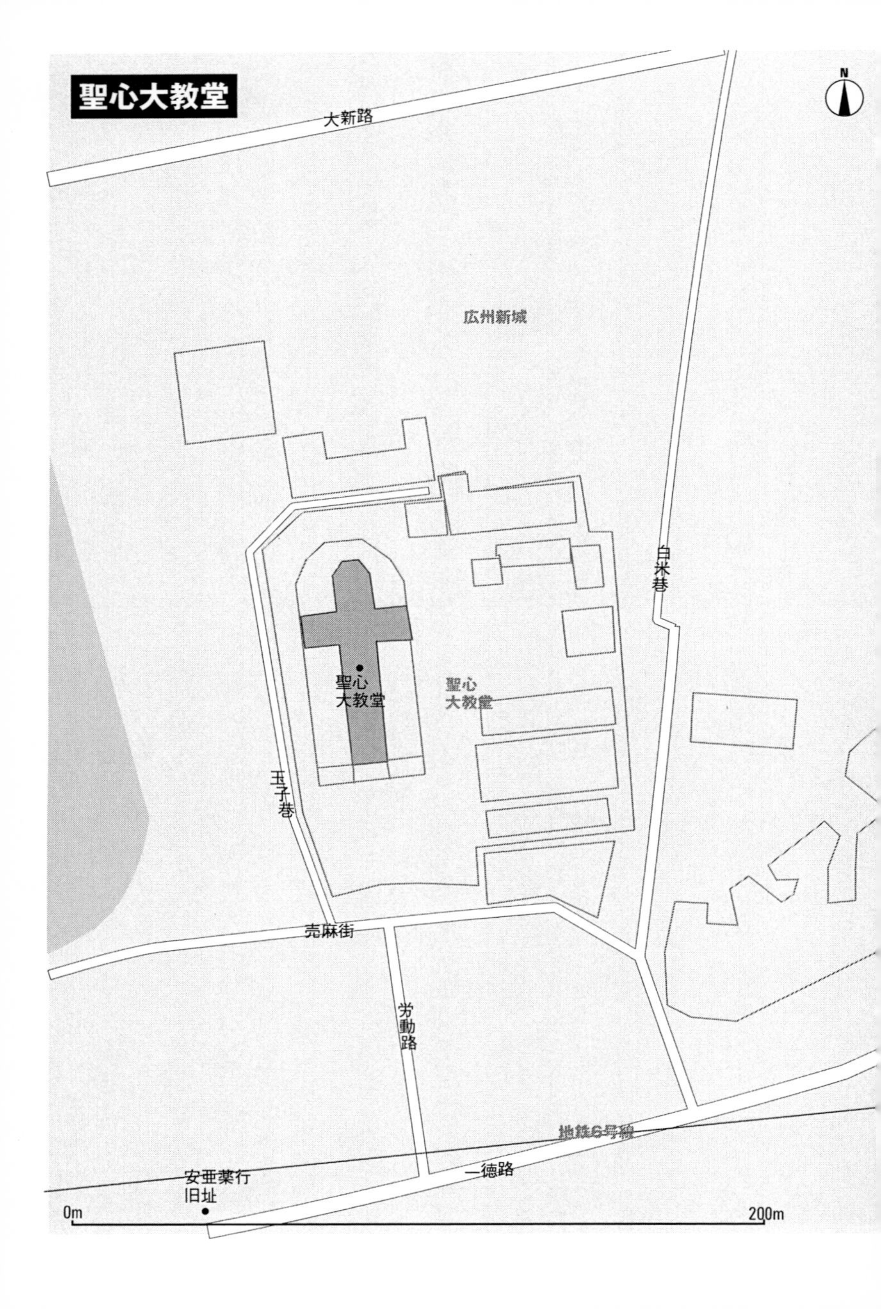

聖心大教堂
N
大新路
広州新城
白米巷
聖心
大教堂
聖心
大教堂
玉子巷
売麻街
労動路
地鉄6号線
一徳路
安亜薬行
旧址
0m
200m

ビエル(1506～52年)が日本で布教を行なっているが、九州を中心に日本で信者を獲得したのに対して、保守的な中国ではキリスト教布教は思うようにはいかなかった。続いて、広州のキリスト教布教も摘発され、1757年、貿易は広州一港に限定する広東システムがとられた。こうした鎖国体制はアヘン戦争後の南京条約(1842年)で中国沿岸部の港町が開港されるまで続いた。そして、以後、中国でキリスト教布教が進んだが、広州では1848年からフランスのフィリップ・フランソワ・ゼフィラン・ギユマン大司教(明稽章)が本格的にキリスト教を布教するようになった。

両広総督葉名琛とフランス

広東と広西という華南地方のふたつ(両)の省を管轄した両広総督。明代、両広総督は、広西の梧州に駐在していたが、清代に入ると肇慶を拠点とした。そして乾隆帝(1735～95年)時代に、両広総督は広州に遷り、現在の聖心大教堂の場所にアヘン戦争時代の両広総督葉名琛(1807～59年)の官邸がおかれていた。両広総督葉名琛は、1846年に広州に赴任して広東布政使をつとめ、1848年に広東巡撫となった(当時、両広総督よりも権力の強い欽差大臣として、林則徐が広州に赴任した歴史もある)。1857年、第2次アヘン戦争のとき、フランス人神父が殺害されたことを受け、フランスは葉名琛に抗議し、賠償を求めた。やがて強硬な姿勢に出たフランスとイギリスは、1858年に広州を占領し、葉名琛は英仏軍の捕虜となってインドのコルカタでなくなった。そして、焼き討ちにあった

★★★
聖心大教堂／圣心大教堂 シェンシィンタァン／シィンサアンダアイガアウトォン

★★☆
一徳路／一德路 イイダアルウ／ヤッダッロウ

★☆☆
広州新城／广州新城 グゥアンチョウシィンチャアン／グゥオンジャウサアンシン
安亜薬行旧址／安亚药行旧址 アァンヤアヤァオシィンジィウチイ／オンアヨッホンガウジイ

葉名琛の官邸の場所には、聖心大教堂が建てられることになった。この時代、ベトナムの領有権をめぐって清仏戦争(1883〜85年)が行なわれ、広州湾が租借されるなど、フランスは広州への影響力を強めていた。

安亜薬行旧址／安亚药行旧址★☆☆

㊗ ān yà yào xíng jiù zhǐ ㊜ on[1] a[2] yeuk[3] hong[4] gau[3] jí

あんあやくこうきゅうし／アァンヤアヤァオシィンジィウチイ／オンアヨッホンガウジイ

一徳路に残る1918年創建のネオゴシック様式の近代建築、安亜薬行旧址。安亜薬行はアメリカ華僑の黄藻裳、黄準、鄺国珍らが集まってつくった薬店(問屋)で、西欧の薬をあつかっていた(近くには西欧医院の博済医院も位置した)。安亜薬行旧址は聖心大教堂に準じる石づくりの建築で、外観はシンプルだが窓が連続し、屋根上には六角形のパビリオンの尖塔が見える。

先施公司附属建築群旧址／先施公司附属建筑群旧址★☆☆

㊗ xiān shī gōng sī fù shǔ jiàn zhú qún jiù zhǐ ㊜ sin[1] si[1] gung[1] si[1] fu[3] suk[3] gin[2] juk[1] kwan[4] gau[3] jí

せんしこうしふぞくけんちくぐんきゅうし／シィエンシイゴォンシイフウシュウジィエンチュウチュンジィウチイ／シィンシイゴォンシイフウスッギィンジョッウクゥアンガウジイ

先施公司の最初の店舗は、長堤大馬路にあり、大三元酒家、海珠大戯院とともに近代広州を代表する風景だった。この先施公司は、オーストラリア華僑の馬応彪が1914年に設立し、シドニーの百貨店の運営、管理、営業方法を導入した(当初、香港にあった)。女性店員の採用、領収書の発行、商品の無料発送などで新しく、飲茶や広東料理のレストラン、バーや浴室、屋上庭園までを備えていた。先施公司附属建築群旧址は6階建て、鉄筋コンクリート構造の建築で、20世紀初頭の広州の面影を今に伝えている。

万菱広場／万菱广场★☆☆

㊍ wàn líng guǎng chǎng ㊎ maan³ ling⁴ gwóng cheung⁴

まんりょうひろば／ワァンリィングゥアンチュゥアン／マアンリィングゥオンチャアン

解放南路と一徳路のまじわる要地に立つ万菱広場(Onelink Plaza)。雑貨やおもちゃ、ファッション、ホームアクセサリーなど、あらゆる種類の商品をあつかう大小のメーカー、卸売業者が入居する。7階建ての大型店舗には1000店以上が集まっていて、海外からここ万菱広場に訪れるバイヤーも多い。

状元坊／状元坊★☆☆

㊍ zhuàng yuán fāng ㊎ jong³ yun⁴ fong¹

じょうげんぼう／チュウアンユゥエンファン／ジョンユゥンフォン

広州古城南西部、人民南路に隣接した「街のなかの街」と言える状元坊。長さ200m、幅5.3mほどの小さな通りで、もともとは泰通坊という名前だった。宋代、科挙の状元となった張鎮の子孫が住んでいたことで、人びとや貿易商が集まるようになり、広州を代表する商業街となった。現在、通りの端には牌楼が立ち、金の首飾りや伝統手工芸品をあつかう店が軒を連ねている。

濠畔街清真寺／濠畔清真寺★☆☆

㊍ háo pàn qīng zhēn sì ㊎ hou⁴ bun³ gaai¹ ching¹ jan¹ ji³

ごうはんがいせいしんじ／ハァオパァンチィンチェンスウ／ホウブンガアイチィンジャンジイ

天成路濠畔街に立つイスラム教の濠畔街清真寺。明代、広州に移住してきたムスリム軍人によって明の成化年間(1487～1505年)に建てられた(ここは明代に玉帯濠という濠があり、その南側の通りを濠畔街と呼んだ)。その後、清代の1706年に重建され、広州古城と西関を結ぶこの地は、広州の金融、商業の中心地となり、各地の会館も集まっていた。現在は寺門と大殿が残り、1998年に重修された5階建てのビルのような寺院で、幅18.8m、奥行19.6mとなっている。清真寺、回文大学、孤児院、老人院などからなり、ウイグル人など回族以外の西北中国のイスラム教徒が、多く礼拝に訪れることを特徴とする。

大新路／大新路★☆☆

㊗ dà xīn lù ㊘ daai³ san¹ lou³

だいしんろ／ダアシィンルウ／ダアイサァンロウ

広州古城の南西部に位置し、一徳路、大徳路と並行して走る大新路。明代は山茶巷と言われ、竹や麻、各地の特産物や茶の集散地だった。明後期に新城が造営されると、大新路と名前を変えた。長さ1106m、幅11mの通りには、1920年代から1930年代にかけて整備された騎楼が続く（1階が店舗、2階が住居として利用されている）。中華民国時代の海珠南路地域の面影を残し、玉石器や雑貨などをあつかう店がならぶ。

恭祝耶稣圣诞

Hai Zhu Guang Chang

海珠広場城市案内

広州古城を南北につらぬく中軸線
明清時代の南端は天字碼頭であったが
近代以降、こちらの海珠広場に遷った

海珠広場／海珠广场★☆☆

㊗ hǎi zhū guǎng chǎng ㊖ hói jyu¹ gwóng cheung⁴

かいじゅひろば／ハァイチュウグゥアンチュウアン／ホオイジュウグゥオンチャアン

広州古城と西関、珠江、河南を結ぶ地点に位置する海珠広場。海珠橋、海珠広場、広州解放紀念像の集まるこの地は新中国成立の1949年以後、整備され、広州東西と南北の軸線のまじわる要衝となった。「海珠」とはこのあたりの珠江に浮かぶ光って見えた岩礁に由来し、現在は目視できないが、珠江そばの美しさを象徴する意味で、橋、広場、庭園、劇場などに海珠という言葉が使われている。1953年に海珠広場がつくられ、1959年にその中心に花崗岩製の解放記念碑が建てられた。高さ11.5mの石像は、人民解放軍の兵士がバッグを肩にかけ、砲弾銃をもつ力強いもので、現在の像は1980年に建てなおされている（文化大革命の1969年に毛沢東塑像がおかれることもあった）。

海珠橋／海珠桥★☆☆

㊗ hǎi zhū qiáo ㊖ hói jyu¹ kiu⁴

かいじゅばし／ハァイチュウチィアオ／ホオイジュウキィウ

珠江を越えて広州市街（河北）と河南を結ぶ長さ182.9m、幅18.3mの海珠橋。それまで船で往来していたが、中華民国時代の1929～33年にこの橋がかけられ、珠江の第一橋となっ

珠江沿岸
西関
大仏寺
北京路
五仙観
華林寺
広州古城
北京路
長寿路
華林寺
海珠広場
団一大広場
上九路
恩寧路
地鉄1号線
地鉄8号線
聖心大教堂
海珠広場
上下九商業歩行街
地鉄6号線
一徳路
地鉄2号線
文化公園
黄沙
珠江
沙面
沙面
0km
3km
市二宮
海珠広場
起義路中共広州市委旧址
広東宣伝員養成所遺址
水母湾美洲同盟会会館旧址
大新路
維新横路
素波巷
華安楼
広州起義路
広州賓館
泰康路
広州新城
解放南路
広州解放紀念
広交会旧址
回龍路
僑光路
先施公司附属建築群旧址
海珠広場
海珠広場
万菱広場
一徳路
僑光西路
沿江中路
地鉄6号線
五仙門発電廠旧址
海珠橋
中共中央華南分局
中法韜美医院旧址
沿江西路
地鉄2号線
珠江
長堤大馬路
永安堂
解放大橋
濱江西路
河南
0m
500m
N

た。当時、広州は南天王陳済棠のもと、黄金時代を迎え、教育や道路、工場などの社会インフラが整備されていった。この海珠橋はもっとも川幅のせまいところを選んで建設され、開通式には海外からの華僑も集まった。珠江大鉄橋ともいい、当初は大型船が通過するおり、橋の中央が開閉した。1938年、日本軍による爆撃で橋の開閉装置は破壊されたが、1950年、海珠橋が再建された(橋の中央部の開閉部分は復元できなかった)。広州の近現代史を映す橋として、毎日、往来する人や車の姿がある。

★★☆

一徳路／一德路 イイダアルウ／ヤッダッロウ

珠江／珠江 チュウジイアン／ジュウゴォン

★☆☆

海珠広場／海珠广场 ハァイチュウグゥアンチュウアン／ホオイジュウグゥオンチャアン

海珠橋／海珠桥 ハァイチュウチィアオ／ホオイジュウキィウ

五仙門発電廠旧址／五仙门发电厂旧址 ウウシィアンメェンファアチャアンジィウチイ／ンシィンムンファッディンチョオンガウジイ

広交会旧址／广交会旧址 グゥアンジィアオフイジィウチイ／グゥオンガアウウイガウジイ

広州賓館／广州宾馆 グゥアンチョウビィングゥアン／グゥオンジャウバアングウン

華安楼／华安楼 フゥアアァンロォウ／ワァオンラァウ

水母湾美洲同盟会会館旧址／水母湾美洲同盟会会馆旧址 シュイムウワァンメェイチョウトォンメェンフイフイグゥアンジィウチイ／ショイモウワアンメェイジャウトゥンマンウイウイグウンガウジイ

広東宣伝員養成所遺址／广东宣传员养成所遗址 グゥアンドォンシュアンチュウアンユゥエンヤァンチェンシュオイイチイ／グゥオンドォンシュンチュンユンユゥンシンソオワイジイ

起義路中共広州市委旧址／起义路中共广州市委旧址 チイイイルウチョンゴォングゥアンチョウシイウェイジィウチイ／ヘエイイイロォウジョングゥオングゥオンジョウシィワアイガウジイ

泰康路／泰康路 タァイカァンルウ／タアイホオンロウ

長堤大馬路／长堤大马路 チャンディイダアマアルウ／チョオンタァイダアイマアロォウ

永安堂／永安堂 ヨォンアァンタァン／ウィンオントォン

中共中央華南分局秘密連絡点中原行旧址／中共中央华南分局秘密联络点中原行旧址 チョングォンチョンヤァンフゥアナァンフェンジュウミイミイリィアンルゥオディエンチョンユゥエンシィンジィウチイ／ジョングォンジョンユゥンワァナアンファンゴォッベイマッリィンロッディンジョンユンホンガオジイ

広州新城／广州新城 グゥアンチョウシィンチャアン／グゥオンジャウサアンシン

先施公司附属建築群旧址／先施公司附属建筑群旧址 シィエンシイゴォンシイフウシュウジィエンチュウチュンジィウチイ／シィンシイゴォンシイフウスッギィンジョッゥアンガウジイ

万菱広場／万菱广场 ワァンリィングゥアンチュゥアン／マアンリィングゥオンチャアン

大新路／大新路 ダアシィンルウ／ダアイサァンロウ

五仙門発電廠旧址／五仙门发电厂旧址★☆☆

㊗ wǔ xiān mén fā diàn chǎng jiù zhǐ ㊘ ng, sin[1] mun[4] faat[2] din[3] chóng gau[3] jí

ごせんもんはつでんしょうきゅうし／ウウシィアンメェンファアディエンチャアンジィウチイ／ンシィンムンファッディンチョオンガウジイ

珠江沿いを走る沿江西路に位置し、海珠広場に隣接して残る五仙門発電廠旧址。清末の1901年に沙面に拠点をおいたアメリカの旗昌洋行（ラッセル商会）が開発した電力発電所跡で、港町広州に蒸気による電気が通じた（五仙門発電廠の力で街灯が灯った）。

広交会旧址／广交会旧址★☆☆

㊗ guǎng jiāo huì jiù zhǐ ㊘ gwóng gaau[1] wui[3] gau[3] ji

こうこうかいきゅうし／グゥアンジィアオフイジィウチイ／グゥオンガアウウイガウジイ

新中国建国10周年を祝って、1959年、海珠広場に面して建てられた10階建ての広交会旧址。1957年以来、中国の対外輸出見本市である広州交易会が開かれ、広交会旧址は中国出口商品起義路陳列館と呼ばれていた（商談やビジネス機能をもち、1959～73年のあいだここが会場となった）。当時、同じ共産主義国家の旧ソ連と中国のあいだで関係が強かったこともあって、ソビエト・スタイルの建築となっている。

広州賓館／广州宾馆★☆☆

㊗ guǎng zhōu bīn guǎn ㊘ gwóng jau[1] ban[1] gún

こうしゅうひんかん／グゥアンチョウビィングゥアン／グゥオンジャウバアングウン

通りをはさんで広交会旧址の向かいに立つ27階建て、高さ86mの広州賓館。1968年創建で、広州交易会に参加するビジネス客がここに滞在した。建設当時は中国でもっとも高い建物だったという。

華安楼／华安楼★☆☆

㊗ huá ān lóu ㊘ wa[4] on[1] lau[4]

かあんろう／フゥアアァンロォウ／ワァオンラァウ

保険会社の華安合群保寿公司によって1936年に建てら

緑の郵便ポストが立っていた

海珠広場界隈のにぎわい

花城と呼ばれた亜熱帯の街、広州を走る

れた華安楼。この会社は、蒋介石、李宗仁、汪精衛、孔祥熙、陳済棠らを顧客に抱える名門だった。華安楼建築の平面プランは、凹字型をしていて、6階は礼堂、7階はテラスつきの庭園となっている。

水母湾美洲同盟会会館旧址／水母湾美洲同盟会会馆旧址★☆☆

㊥ shuǐ mǔ wān měi zhōu tóng méng huì huì guǎn jiù zhǐ ㊄ séui mou, waan[1] mei, jau[1] tung[4] mang[4] wui[3] wui[3] gún gau[3] jí

すいぼわんびしゅうどうめいかいかいかんきゅうし／シュイムウワァンメェイチョウトォンメェンフイフイグゥアンジィウチイ／ショイモウワアンメェイジャウトゥンマンウイウイグウンガウジイ

趣きある赤レンガの外壁をもった幅26m、奥行10m、3階建ての水母湾美洲同盟会会館旧址。孫文を中心とした中国同盟会（美洲同盟会）の拠点があった場所で、会員が中国滞在時に利用し、馮正卿が暮らしていた。1911年の辛亥革命後、役割を終えたが、欧風で中華民国初期の建築のたたずまいを残している。宋代以前はこのあたりが珠江の河岸だったという。

広東宣伝員養成所遺址／广东宣传员养成所遗址★☆☆

㊥ guǎng dōng xuān chuán yuán yǎng chéng suǒ yí zhǐ ㊄ gwóng dung[1] syun[1] chyun[4] yun[4] yeung, sing[4] só wai[4] jí

かんとんせんでんいんようせいしょいし／グゥアンドォンシュアンチュウアンユゥエンヤァンチェンシュオイイチイ／グゥオンドォンシュンチュンユンユゥンシンソオワイジイ

広東宣伝員養成所遺址は、赤レンガの外壁と緑の琉璃瓦をもつ幅25.5m、奥行9.5mの2階建て建築。1921年創建で、陳独秀や譚平山を指導員として共産主義教育を行なった（プロパガンダ研修所だった）。そのたたずまいから小紅楼とも呼ばれ、現在は広州第十中学校になっている。

起義路中共広州市委旧址／起义路中共广州市委旧址★☆☆

㊥ qǐ yì lù zhōng gòng guǎng zhōu shì wěi jiù zhǐ ㊄ héi yi[3] lou[3] jung[1] gung[3] gwóng jau[1] si, wái gau[3] jí

きぎろちゅうきょうこうしゅうしいきゅうし／チイイイルウチョンゴォングゥアンチョウシイウェイジィウチイ／ヘエイイイロォウジョングゥオングゥオンジョウシィワアイガウジイ

国共内戦（1946～49年）のとき、中国共産党の秘密機関がおかれていた起義路中共広州市委旧址。1945年に中共広州市工作委員会が成立し、陳能興らが任務にあたっていた。古いレンガづくりの3階建て建築で、赤色の外壁をもつ。

海珠広場近くには騎楼がどこまでも続く

『蛋民船(広東珠江)』(京都大学附属図書館所蔵)部分

Gao Di Jie

高弟街城市案内

**広州屈指の繁華街である北京路にほど近く
古い時代の広州の面影をよく残す高弟街
名門家系である許一族の邸宅も残る**

泰康路／泰康路★☆☆

㊗ tài kāng lù ㊧ taai² hong¹ lou³
たいこうろ／タァイカァンルウ／タアイホオンロウ

海珠広場から東の北京路へ向かって伸びていく泰康路。清朝時代の城壁跡(新城の南壁)で、1919年に撤去され通りが整備されると、当時の有力者楊永泰が「祈求国泰民康」の願いをこめて泰康路と名づけた(また同時に北京路を永漢路と改名したことから、この「永」漢路と「泰」康路の頭文字をとって自分の名前を残したともいう)。当時、珠江に近い南関(泰康路)には、広寧や懐集からの竹や木材はじめ、物資の集まる市場があったという。長さ454m、幅16mの通りは湾曲しながら走り、保存状態のよい中華民国時代の建築が残り、2階と3階にバルコニーが見えるものもある。

陳独秀の看雲楼

1921年に誕生した中国共産党の初代総書記をつとめた陳独秀(1879〜1942年)。上海での共産党への圧力が強まるなか、陳独秀は広東軍閥陳炯明の招きで、教育委員会の教育長に就任した。上海から香港経由で広州に着いた陳独秀は、泰康路廻龍里に居を定め、1920年12月から翌21年9月まで広州に滞在していた。陳独秀はほとんど外出することなく、来

高弟街
大仏寺
教育路
広州古城
塩運西
北京路南段
永漢電影院
文明路
北京路
恵福東路
青雲書院
書坊街
大南路口
大南路
仙湖街
玉帯濠
広州新城
広州起義路
許地
高第街
木排頭
解悟里
北京路
木排新街
麦欄街
地鉄6号線
湾母水
福増里
珠光路
起義路中共広州市委旧址
広東宣伝員養成所遺址
水母湾美洲同盟会会館旧址
太平沙
北京路
維新横路
素波巷
英俊坊
華安楼
泰康路
迴龍上街
広州賓館
南関
海珠広場
広州解放紀念
増沙街
太平通津
広交会旧址
回龍路
南堤二馬路
一徳路
海珠広場
僑光路
海珠広場
天字碼頭
沿江中路
僑光西路
地鉄2号線
珠江
五仙門発電廠旧址
海珠橋
0m
500m
N
河南

客をもてなしたり、執筆活動にはげんだ。ここから広州市街北の白雲山が望めたため、この建物は看雲楼と名づけられた。当時の広州は、全国でも無政府主義者の活動がもっとも盛んな場所であった。

木排頭／木排头★☆☆

㊗ mù pái tóu ㊕ muk[3] paai[4] tau[4]
もくはいとう／ムウパァイトォウ／モッパアイタウ

高弟街南側に位置する長さ35m、幅5mほどの小さな路地の木排頭。かつてこのあたりは珠江の岸辺であり、宋代、このあたりに「いかだ(木排)」が停泊していたことから、木排頭の名前がつけられた。中華民国時代の中国と西洋のスタイルを融合させた近代建築が残っている。

★★☆
珠江／珠江 チュウジイアン／ジュウゴォン
一徳路／一德路 イイダアルウ／ヤッダッロウ

★☆☆
泰康路／泰康路 タァイカァンルウ／タアイホオンロウ
木排頭／木排头 ムウパァイトォウ／モッパアイタウ
高弟街／高弟街 ガァオディイジィエ／ゴォウダイガアイ
許地／许地 シュウディイ／ホォイデイ
天字碼頭／天字码头 ティエンツウマアトォウ／ティンジイマアタァウ
海珠広場／海珠广场 ハァイチュウグゥアンチュウアン／ホオイジュウグゥオンチャアン
海珠橋／海珠桥 ハァイチュウチィアオ／ホオイジュウキィウ
華安楼／华安楼 フゥアアァンロォウ／ワァオンラァウ
水母湾美洲同盟会会館旧址／水母湾美洲同盟会会馆旧址 シュイムウワァンメェイチョウトォンメェンフイフイグゥアンジィウチイ／ショイモウワアンメェイジャウトゥンマンウイウイグウンガウジイ
広東宣伝員養成所遺址／广东宣传员养成所遗址 グゥアンドォンシュアンチュウアンユゥエンヤァンチェンシュオイイチイ／グゥオンドォンシュンチュンユンユゥンシンソオワイジイ
起義路中共広州市委旧址／起义路中共广州市委旧址 チイイイルウチョンゴォングゥアンチョウシイウェイジィウチイ／ヘエイイイロォウジョングゥオングゥオンジョウシィワアイガウジイ
広交会旧址／广交会旧址 グゥアンジィアオフイジィウチイ／グゥオンガアウウイガウジイ
広州賓館／广州宾馆 グゥアンチョウビィングゥアン／グゥオンジャウバアングウン
五仙門発電廠旧址／五仙门发电厂旧址 ウウシィアンメェンファアチャアンジィウチイ／ンシィンムンファッディンチョオンガウジイ
広州新城／广州新城 グゥアンチョウシィンチャアン／グゥオンジャウサアンシン

高弟街／高弟街★☆☆

㊥ gāo dì jiē ㊣ gou[1] dai[3] gaai[1]

こうだいがい／ガァオディイジィエ／ゴォウダイガアイ

高弟街は1000年続く宋代以来の通りで、広州随一の繁華街の北京路近くを東西に走る。宋代、ここは珠江に近い波止場で交通の要衝でもあった。宋代から富裕層や書生が多く暮らし、そのなかから科挙の状元（首席）が出たほか、たびたび高級官吏、郷紳が輩出されたことから、高弟街と呼ばれるようになった（文革時代には群衆街となったが、1981年にまた高弟街に戻った）。高弟街はいわば街のなかの街であり、シルクの九同章、文房四宝の三多軒といった清代以来の老舗、靴や櫛、布などの婚姻向け服装工芸品店が軒をつらねていた。また蘇州や杭州の雑貨が売られていたことから、蘇杭街とも言われ、中華民国時代も中国服、洋服店が集まっていた。長さ551m、幅7mの通りには古いレンガづくりの建物が残っている。

許地／许地★☆☆

㊥ xǔ dì ㊣ héui dei[3]

きょち／シュウディイ／ホォイデイ

高第街でもっとも有名な名門一族の許氏が暮らす許地。許氏は潮州出身で、清朝後期の1810年ごろ、広州に遷ってきた。許拝庭が広州で商売をはじめ、勤勉に励み、その子許祥光（1799～1854年）は1832年に挙人となったほか、塩商として成功した。1849年、祠堂や一族が暮らす高第街のこの地が整備されて、許地ができあがった。許地には清代の門楼はじめ、一族の祖をまつる拝庭許大夫家廟、一族の繁栄を決定づけた許祥光故居、浙江巡撫をつとめた許応鑅（1820～91年）の故居、周恩来、鄧小平の同士であった許卓（1908～34年）の故居、魯迅夫人の許広平（1898～1968）が暮らした許広平故居遺址はじめ、民居や家房、戯台、蔵書室などが残っている。

『◆南支・広東◆ 太平路』(京都大学附属図書館所蔵)部分

Xin Cheng Nan Guan Dong Fang
新城南関東部城市案内

広州古城と珠江のあいだに位置する
明代以来の新城、そして清末、民初の南関
河川をもつ港町であった近代広州の面影が残る

天字碼頭／天字码头★☆☆

㊗ tiān zì mǎ tóu ㊖ tin[1] ji[3] ma, tau[4]

てんじまとう／ティエンツウマアトォウ／ティンジイマアタァウ

「広州第一碼頭」と言われ、広州をつらぬく軸線上に位置する天字碼頭。珠江北岸にあり、長らく広州古城の玄関口として知られてきた。北京路へまっすぐ続く天字碼頭は、清朝雍正帝時代の1729年に広東布政使である王士俊によって整備され、碼頭の目の前に日近亭（接官亭）が建てられた。文武官が北京に赴くとき、また広州に来るとき、ここで安全を祈り、広州に着いた官吏は、まず「天子栈橋」で下船し、「接待亭」で広州役人の歓迎を受けた。いわば「天子（に向かうための埠頭」であったため、民間船の停泊は許されていなかったという。アヘン戦争時の1839年、広州に派遣された林則徐が上陸したのも天字碼頭であったし、孫文（1866～1925年）が船で香港へ逃れたのも天字碼頭からだった（19世紀末、香港、長洲島、大澳への船の便があったという）。1905年、両広総督の張之洞が長さ400mの埠頭を整備し、近代的な道路である馬路が東西に走るようになった。

珠江沿岸
西関
大仏寺
北京路
五仙観
華林寺
広州古城
長寿路
華林寺
上九路
団一大広場
新城南関東部
恩寧路
地鉄1号線
地鉄8号線
聖心大教堂
海珠広場
地鉄6号線
上下九商業歩行街
一徳路
文化公園
珠江
黄沙
沙面
沙面
0km
市二宮
3km
新城南関東部
広州魯迅紀念館
文徳路
文明路
広州古城
北京路
大仏寺
玉帯濠
越秀南路
無着庵
大南路口
文徳西路
文徳東路
東濠涌高架路
広州新城
大南路
基督教救主堂
万福路
高第街
湛塘路
中華全国総工会旧址
北京路
中共広東区委軍委旧址
地鉄6号線
許地
木排頭
徳政南路
団一大広場
文徳南路
団一大広場
泰康路
珠光路
省港罷工委員会旧址
東園路
太平沙
北京路
南関
東沙角路
華安楼
太平通津
団一大広場
拪翠路
八旗会館
八旗二馬路
回龍路
沿江中路
黄埔軍校同学会旧址
海珠広場
海珠広場
天字碼頭珠江夜游
中央銀行旧址
珠江
江湾大橋
地鉄2号線
紡織碼頭
海珠橋
濱江中路
草芳圍
紡織路
南華東路
孫中山大元帥府紀念館
0km
1km

珠江夜游／珠江夜游★☆☆

㊗ zhū jiāng yè yóu ㊗ jyu1 gong1 ye3 yau4

しゅこうやゆう／チュウジィアンイエヨォウ／ジュウゴォンイェヤァウ

白鵝潭、沙面、粤海関大楼、沿江酒吧廊、大元帥府、海印大橋といった美しい広州の夜景を船でめぐる珠江夜游。広州古城や西関の発展した珠江の北岸を「河北」、珠江の南岸を「河南」といい、長らく発展してきた河北に対して、河南はさびれた地であった。1933年に海珠橋が開通すると両者の往来が盛んになり、珠江をはさむように街は発展していった。珠江夜游では、租界（沙面）や近代建築の残る北岸とともに、大元帥府、海印大橋などの南岸の様子も川面から見える。

★★☆

珠江／珠江 チュウジイアン／ジュウゴォン

★☆☆

天字碼頭／天字码头 ティエンツウマアトォウ／ティンジイマアタァウ

珠江夜游／珠江夜游 チュウジィアンイエヨォウ／ジュウゴォンイェヤァウ

中央銀行旧址／中央银行旧址 チョンヤァンイィンハァンジィウチイ／ジョンヤァンンガンホォンガウジイ

黄埔軍校同学会旧址／黄埔军校同学会旧址 フゥアンブウジュンシィアオトォンシュエフゥイジィウチイ／ウォンボォウグゥアンハァウトォンホッウイガウジイ

珠光路／珠光路 チュウグゥアンルウ／ジュウグゥオンロウ

中共広東区委軍委旧址／中共广东区委军委旧址 チョンゴォングゥアンドォンチュウウェイジュンウェイジィウチイ／ジョングォングゥオンドォンコイワアイグゥアンワアイガァウジイ

基督教救主堂／基督教救主堂 ジイドゥウジィアオジィウチュウタァン／ゲエイドッガアウガウジュウトォン

八旗会館／八旗会馆 バアチイフゥイグゥアン／バアッケェイウイグウン

中華全国総工会旧址（恵州会館）／中华全国总工会旧址 チョンフゥアチュウアングゥオゾォンゴォンフゥイジィウチイ／ジョンワァチュングゥオッジュウングゥンウイガァウジイ

団一大広場／团一大广场 トゥアンイイダアグゥアンチャアン／トュゥンヤッダァイグゥオンチャアン

省港罷工委員会旧址／省港罢工委员会旧址 シェンガァンバアゴォンウェイユゥエンフゥイジィウチイ／サアンゴオンバァグゥンワアイユンウイガウジイ

華安楼／华安楼 フゥアアァンロォウ／ワァオンラァウ

泰康路／泰康路 タァイカァンルウ／タアイホオンロウ

木排頭／木排头 ムウパァイトォウ／モッパアイタウ

高弟街／高弟街 ガァオディイジィエ／ゴォウダイガアイ

許地／许地 シュウディイ／ホォイデイ

海珠広場／海珠广场 ハァイチュウグゥアンチュウアン／ホオイジュウグゥオンチャアン

海珠橋／海珠桥 ハァイチュウチィアオ／ホオイジュウキィウ

広州新城／广州新城 グゥアンチョウシィンチャアン／グゥオンジャウサアンシン

中央銀行旧址／中央银行旧址★☆☆

㊗ zhōng yāng yín háng jiù zhǐ ㊎ jung[1] yeung[1] ngan[4] hong[4] gau[3] jí

ちゅうおうぎんこうきゅうし／チョンヤァンイィンハァンジィウチイ／ジョンヤァンンガンホォンガウジイ

天字碼頭と海珠広場のあいだに残る中華民国時代の中央銀行旧址。1914年創建の中国銀行広州分行行址を前身とし（清代開業の銀行につらなる）、1924年に孫文によって中央銀行へと改変された。その年（1924年）の第一次国共合作で革命政府が広州におかれると、金融と財政面の混乱が起き、財政を統合して中央銀行をつくる状況にせまられたことによる。この広州の中央銀行は、この国民政府の政治、軍事に協力し、紙幣を発行する権限を有していた（南京に国民政府が設立されると、上海に中央銀行がつくられ、広東省銀行になった）。花崗岩の外壁をもつ堂々とした建築は、幅52.6m、奥行26.56mで1914年以来、ここ珠江北岸でその姿を見せている。

黄埔軍校同学会旧址／黄埔军校同学会旧址★☆☆

㊗ huáng bù jūn xiào tóng xué huì jiù zhǐ ㊎ wong[4] bou[2] gwan[1] haau[3] tung[4] hok[3] wui[3] gau[3] ji

こうほぐんこうどうがくかいきゅうし／フゥアンブウジュンシィアオトォンシュエフゥイジィウチイ／ウォンボォウグゥアンハァウトォンホッウイガウジイ

1924年の国共合作とともに、黄埔軍校の設立が決まり、陸軍軍官学校籌備委員会がおかれていた黄埔軍校同学会旧址（実際の黄埔軍校は、広州東郊外の黄埔で開校した）。1924年創建の建築は、幅24m、奥行25mで、3層からなる。ここで廖仲愷、李済深、そして蒋介石がここで働いていた。蒋介石を校長とする黄埔軍官学校が、広州郊外の黄埔に設立されると、役割を終えた。

珠光路／珠光路★☆☆

㊗ zhū guāng lù ㊎ jyu[1] gwong[1] lou[3]

しゅこうろ／チュウグゥアンルウ／ジュウグゥオンロウ

珠江のほとり、泰康路と並行して東西に走る長さ537m、幅11mの珠光路。かつてこの地には珠光殿が立っていて、珠玉宝石の集まる珠光里と呼ばれていた。商人たちが暮らした赤レンガ建築はじめ、1920年代創建の3階建て近代建築が残り、それらは日中戦争(1937〜45年)時には工場として使われていたという。

中共広東区委軍委旧址／中共广东区委军委旧址★☆☆

㊗ zhōng gòng guǎng dōng qū wěi jūn wěi jiù zhǐ ㊛ jung[1] gung[3] gwóng dung[1] keui[1] wái gwan[1] wái gau[3] jí

ちゅうきょうかんとんくいぐんいきゅうし／チョンゴォングゥアンドォンチュウウェイジュンウェイジィウチイ／ジョングォングゥオンドォンコイワアイグゥアンワアイガァウジイ

泰康路から東に伸びる万福路にたたずむ中華民国時代の中共広東区委軍委旧址。1922年に建てられた幅10.28m、奥行14mのプランに立つ4階建ての建築で、前方には騎楼も残る。1926年には国共合作下の共産党特別支部となり、1926年5月〜27年4月まで周恩来、鄧穎超らが暮らしていた。

基督教救主堂／基督教救主堂★☆☆

㊗ jī dū jiào jiù zhǔ táng ㊛ gei[1] duk[1] gaau[2] gau[2] jyú tong[4]

きりすときょうきょうしゅどう／ジイドゥウジィアオジィウチュウタァン／ゲエイドッガアウガウジュウトォン

清朝末期に中国人キリスト教徒の莫寿増が創立した基督教救主堂。プロテスタントの教会で、1903年に広州内外のキリスト教徒たちが資金を集めて建設がはじまり、1912年に完成した。幅23.1m、奥行28.7m、高さ20mの教会は、十の字型の平面に立ち、赤色の外壁、緑色の屋根瓦をもつ中国と西欧様式が融合したものとなっている。建築頭上には十字架が載り、教堂は1000人を収容するという。

八旗会館／八旗会馆★☆☆

㊗ bā qí huì guǎn ㊛ baat[2] kei[4] wui[3] gún

はっきかいかん／バアチイフゥイグゥアン／バアッケェイウイグウン

清朝(1616〜1912年)の統治階級であった広州満州族による八旗会館。北京の清朝は、中国各地に満州八旗を派遣して、国家の命を伝えた。広州では、乾隆帝(在位1735〜95年)時代に満州族が駐屯するようになり、現在の解放中路から人民中

団一大広場
広州魯迅
紀念館
広州古城
東関
文明路
東華西路
小東
門橋
玉帯濠
越秀南路
無着庵
麗水坊
広州新城
清水濠
万福路
永安横街
東濠湧高架路
中華全国
総工会旧址
湛塘路
永曜北
徳政南路
団一大
広場
地鉄6号線
東園横路
団一大
広場
広九大馬路
省港罷工
委員会旧址
東園
門楼
東園路
挹翠路
東沙角路
東堤五馬路
白雲楼
魯迅故居
白雲路
東堤四馬路
東堤三馬路
南関
八旗
会館
八旗二馬路
東堤二馬路
東華南路
沿江中路
沿江東路
珠江
0m
500m
N

路、大徳路、光塔路あたり（広州古城の西隅）に暮らしていた。そして天字碼頭近くに八旗二馬路という通りが残っているのは、ここが北京と広州を結ぶ満州族の活動拠点であったことに由来する。八旗会館は清代の広州に23あった会館のひとつで、八旗軍の兵隊にとって利便性の高い波止場近くに位置する。ここ広州で北京の政府は、華南の鉱業を管轄していた。

中華全国総工会旧址（恵州会館）／中华全国总工会旧址★☆☆

㊗ zhōng huá quán guó zǒng gōng huì jiù zhǐ ㊋ jung¹ wa⁴ chyun⁴ gwok² júng gung¹ wui³ gau³ jí

ちゅうかぜんこくそうこうかいきゅうし（けいしゅうかいかん）／チョンフゥアチュウアングゥオゾォンゴォンフゥイジィウチイ／ジョンワァチュングゥオッジュウングゥンウイガァウジイ

広州古城の南東、中華民国初期に建てられた中華全国総工会旧址。この建物はもともと広東省恵州出身者の集まる恵州会館だったが、中国国民党中央党に転用され、その後、労働組合の最高指導機関である中華全国総工会広州事務所がおかれた（皇帝や貴族などの支配階級ではなく、労働者階級による会議が行なわれた）。幅27.8m、奥行21.5m、高さ11m、レンガづくりの2階建ての洋風建築となっていて、周囲を塀に囲まれ、中央には丸いアーチ型の門と花の意匠が見える。敷地内には廖仲愷先生紀念碑と工農運動死難烈士紀念碑が立ち、1958年より紀念館として開館している。

★★☆

珠江／珠江 チュウジイアン／ジュウゴォン

★☆☆

八旗会館／八旗会馆 バアチイフゥイグゥアン／バアッケェイウイグウン

中華全国総工会旧址（恵州会館）／中华全国总工会旧址 チョンフゥアチュウアングゥオゾォンゴォンフゥイジィウチイ／ジョンワァチュングゥオッジュウングゥンウイガァウジイ

団一大広場／团一大广场 トゥアンイイダアグゥアンチャアン／トュゥンヤッダァイグゥオンチャアン

省港罷工委員会旧址／省港罢工委员会旧址 シェンガァンバアゴォンウェイユゥエンフゥイジィウチイ／サアンゴオンバァグゥンワアイユンウイガウジイ

東園門楼／东园门楼 ドォンユゥエンメェンロォウ／ドォンユウンムンラオ

広州新城／广州新城 グゥアンチョウシィンチャアン／グゥオンジャウサアンシン

団一大広場／团一大广场★☆☆

㊤ tuán yī dà guǎng chǎng ㊮ tyun⁴ yat¹ daai³ gwóng cheung⁴

だんいちだいひろば／トゥアンイイダアグゥアンチャアン／トュウンヤッダァイグゥオンチャアン

共産主義を意味する紅色のモニュメントが立つ団一大広場。共産主義青年団の第1回大会がこの地で行なわれたことを記念したもので、2012年に整備された。高さ9.9mで、歴史を記録した本と風にたなびく旗がイメージされているという。

省港罷工委員会旧址／省港罢工委员会旧址★☆☆

㊤ shěng gǎng bà gōng wěi yuán huì jiù zhǐ ㊮ sáang góng ba³ gung¹ wái yun⁴ wui³ gau³ jí

しょうこうひこういいんかいきゅうし／シェンガァンバアゴォンウェイユゥエンフゥイジィウチイ／サアンゴオンバァグゥンワアイユンウイガウジイ

香港、広州で起きた反英ストライキの省港大罷工を記念する省港罷工委員会旧址。連続するアーチが美しく、赤レンガのたたずまいから「紅楼」の愛称で親しまれている。もともと広東水師提督李准の邸宅で、東園とも言われ、清末民初(20世紀初頭)には遊楽場がおかれていた。1925年、上海の五・三〇事件を受けて、広州沙面でもデモが起こり、イギリス兵が発砲して中国人に多数生命を落とした。この事件は、香港の対英ボイコット、ストライキの省港大罷工へとつながり、1926年、一連の混乱のなかで東園も炎に包まれた(省港大罷工で香港の労働者は広東省へ退避し、イギリスに大きな打撃をあたえた労働運動として評価されている)。1984年、東園の本館にあたる紅楼が再建され、1階は労働者の集会場、2階は労働者の寮が再現された省港罷工委員会旧址として開館した。

東園門楼／东园门楼★☆☆

㊤ dōng yuán mén lóu ㊮ dung¹ yún mun⁴ lau⁴

とうえんもんろう／ドォンユゥエンメェンロォウ／ドォンユウンムンラオ

清末、広東水師提督李准の東園のうち、その正門であった門楼(東園門楼)が残る。堂々としたこの東園門楼は、幅15m、高さ9mで、レンガづくりの上部には装飾がほどこされている。「東園」の文言が見えるほか、上段には「宣統庚戌冬月」、下段にはこの園の主の「隣水李准書」と記されている。ここ東園は清末民初(20世紀初頭)には遊楽場となっていたが、省港大罷工が起こった1926年の混乱のなかで焼かれて、この門楼だけが残った。

印象的なモニュメント、団一大広場

近代広州の舞台となった中華全国総工会旧址（恵州会館）

珠江近くの定食店に集まる人たち

広州市街南東部の川岸を走る沿江中路

Izen To Igo

沙面以前と沙面以後

美しい租界の見られる沙面
アヘン戦争から辛亥革命へいたる
物語は広州を中心に進行した

カントン体制と十三行

西欧が大航海時代(15～16世紀)を迎えて中国東南沿岸部に姿を見せるようになったとき、中国では明朝(1368～1644年)がおさめていた。1557年よりポルトガルは広州近くのマカオへの居住を許され、続く清代の1685年、広州に粤海関がおかれて海外貿易の税務や事務を行なった。やがて乾隆帝時代の1757年、西欧との貿易は広州一港に限る広東システムがとられ、これをになったのが十三行と呼ばれる中国商人だった。それはちょうど江戸時代の長崎出島に似ていて、北京から遠く離れた広州に外国商人を隔離していた。西欧の商人は雨季に広州で滞在して、交渉や滞在のための場所(珠江沿いの十三夷館)を借り、交易品の保管をして、シーズン以外はマカオに戻った。十三行の拠点は今の広州西関文化公園の地にあり、税や貿易をあつかう商人は莫大な資産を築いて、そのうちのひとり潘仕成の邸宅海山仙館の名はヨーロッパにまで知られていたという(またこの時代、広州古城の郊外にあたった西関が発展した)。1793年、イギリスのマカートニーは、清朝乾隆帝に通商の拡大を求めたが、それはかなわず、中国の特産品である茶を求めるイギリスの貿易赤字はふくらんでいった。

ジャーディン・マセソン商会とアヘン戦争

ジャーディン・マセソン商会こと怡和洋行は、ジャーディンとマセソンというふたりのスコットランド人によって1832年、当時の唯一の貿易港広州で設立された。ふたりはアヘンの密売、茶、綿花売買を財をなし、とくに中国茶によるイギリスの銀の流出を、イギリス植民地のインド産アヘンを輸出することで相殺するという役割をになっていた（1830～40年代、中国の茶や生糸をイギリスに運び、イギリスからはインド産アヘンやマンチェスターの工場の綿製品を中国に売っていた）。1796年以来、清朝はアヘン輸入禁止令を何度も出したものの、効果はなく、アヘンの輸入と中毒者は増え続け、1839年、欽差大臣として林則徐が広州に派遣された。広州大仏寺に拠点をおいた林則徐は強い態度でアヘン問題にあたり、イギリス商人からアヘンをとりあげ、虎門で焼却するなど成果をあげた。一方、アヘン密売のできなくなった商人たちはイギリス本国に呼びかけ、1840年、アヘン戦争が勃発した。1842年、軍事力にまさるイギリスがアヘン戦争に勝利し、南京条約が結ばれて、広州や福州、上海などの開港、香港のイギリスへの割譲が決まった。続く第2次アヘン戦争（1856～60年）後、イギリスは広州沙面を獲得し、そこにはジャーディン・マセソン桟橋が整備された。怡和洋行（ジャーディン・マセソン商会）は、飛躍的な発展をとげていき、広州と上海や香港を結ぶ船便が往来するようになった。

日本人と広州

日本の広東に対する動きは、1873年に香港領事館を設立したことにはじまる。日清戦争（1894～95年）で台湾を獲得し、その対岸の福建省から中国本土への展開を試みたことで広州への進出も動きだした。こうした流れのなか、1888年、沙面に日本領事館が開設された。そして1900年、台湾総督府の

海＝珠江を鎮める意味あいのこめられた鎮海楼

ブルース・リーも粤劇役者の父親に育てられた、粤劇芸術博物館

珠江を往来する船の灯台の役割を果たしていた懐聖寺光塔

華南では共通の祖先をもつ宗族が発展した

命令航路により、基隆〜香港間、高雄〜広州間の航路が設置され、大阪商船がそれをになった（広州と日本との直行便がなく、厦門、汕頭、香港を中継した）。三井物産は1886年の香港、1899年の厦門に続いて1902年には広州にも支店を開き、台湾銀行も1907年、広州支店を設立している。さらに台湾銀行の影響のもと日系の華南銀行が1919年、横浜正金銀行が1924年に広州にそれぞれ支店を開設した。三井物産は北京路、三菱商事や横浜正金銀行、日本領事館は沙面、伊藤忠は一徳路、岩井は長堤大馬路に拠点をおいていた。1932〜35年、300人程度の日本人が広州に暮らしていたが、1938年に日本が広州を占領すると、日本人の人口も増え、多いときでは9000人ほどの日本人が広州にいたという。太平路（広州古城と西関のあいだの現在の人民路）に日本人街があり、そのほかにも敬愛路（中山路）、北京路、長堤大馬路で日本人の姿が見られたほか、日本の領事館や銀行、商社のある沙面北街は昭和路と呼ばれていた。

『清代広州における「街」と社会的結合』(梁敏玲/お茶の水史学)
『広東十三行考』(梁嘉彬著・山内喜代美訳/大空社)
『商人たちの広州』(藤原敬士/東京大学出版会)
『中国のユネスコ無形文化遺産』(于海広・張偉編著・李紗由美・多田未奈訳・劉偉監訳/グローバル科学文化出版)
『西関大屋地区(広州)の住居類型とその変容に関する考察』(諏訪昌司・趙冲・布野修司・川井操/日本建築学会計画系論文集)
『清末から日中戦争期にかけての広州における日本の活動について』(張傳宇/神戸大学)
『相律する景観:中国広州市の都市景観再生をめぐる人類学的研究』(河合洋尚/東京都立大学)
『日本人のための広東語』(頼玉華著・郭文灝修訂/青木出版印刷公司)
『广州传统中轴线 文化遗产一本通』(广州传统中轴线提升工作越秀区建设指挥部办公室)
『荔湾区卷』(广州市文物普查汇编编纂委员会・荔湾区文物普查汇编编纂委员会/广州出版社)
『广州市地名志』(广州市地名委员会《广州市地名志》编纂委员会编/广东科技出版社)
『江总书记与步行街群众一起 上下九广场看点多』(何静文/南方网综合)
『宝华路的变迁』(潘应强/荔湾区政协)
『荔枝湾大戏台 演足10年地道广州味』(卜松竹/广州日报)
『广州故事:繁华十八甫 西关文化的传奇』(王晓易/网易旅游论坛)
『广州民间金融街:放开民间金融源头活水』(周福红・黄昊・谭永禧/中国改革报)
『3.5亿“整容”,沙面迎来颜值峰巅,51栋国家文物建筑美哭你』(编辑 陈军/南方都市报)
『A guide to the city and suburbs of Canton』(John Glasgow Kerr)
广州市荔湾区人民政府门户网站 http://www.lw.gov.cn/
广州市越秀区人民政府门户网站 http://www.yuexiu.gov.cn/
广州文史 http://www.gzzxws.gov.cn/
广州图书馆 http://www.gzlib.org.cn/
广东民间工艺博物馆 https://www.gzchenjiaci.com/
粤剧艺术博物馆官网https://www.yjysmuseum.com/
广州酒家官方网站 https://www.gzr.com.cn/
广州市文化广电旅游局 http://wglj.gz.gov.cn/
广州十三行博物馆官方 http://www.gzthirteenhongsmuseum.com/
泰康路:逢人卖竹画清风 https://www.sohu.com/
广东省博物馆 http://www.gdmuseum.com/
广州市流花湖公园 https://www.liuhuahu.cn/
中华何氏网-何姓网-何氏族谱-世界何氏宗亲联谊会 http://he.zupu.cn/
OpenStreetMap
(C)OpenStreetMap contributors
『(広東)沙面英租界バンド』(京都大学附属図書館所蔵) 部分
『(広東)沙面英租界に架せるイギリス橋』(京都大学附属図書館所蔵) 部分
『蛋民船(広東珠江)』(京都大学附属図書館所蔵) 部分
『◆南支・広東◆ 太平路』(京都大学附属図書館所蔵) 部分
『(広東)沙面仏租界に架せるフランス橋』(京都大学附属図書館所蔵) 部分
The Metropolitan Museum of Art https://www.metmuseum.org/

まちごとパブリッシングの旅行ガイド
Machigoto INDIA , Machigoto ASIA , Machigoto CHINA

北インド-まちごとインド

001 はじめての北インド
002 はじめてのデリー
003 オールド・デリー
004 ニュー・デリー
005 南デリー
012 アーグラ
013 ファテープル・シークリー
014 バラナシ
015 サールナート
022 カージュラホ
032 アムリトサル

西インド-まちごとインド

001 はじめてのラジャスタン
002 ジャイプル
003 ジョードプル
004 ジャイサルメール
005 ウダイプル
006 アジメール（プシュカル）
007 ビカネール
008 シェカワティ
011 はじめてのマハラシュトラ
012 ムンバイ
013 プネー
014 アウランガバード
015 エローラ
016 アジャンタ
021 はじめてのグジャラート
022 アーメダバード
023 ヴァドダラー（チャンパネール）
024 ブジ（カッチ地方）

東インド-まちごとインド

002 コルカタ
012 ブッダガヤ

南インド-まちごとインド

001 はじめてのタミルナードゥ
002 チェンナイ
003 カーンチプラム
004 マハーバリプラム
005 タンジャヴール
006 クンバコナムとカーヴェリー・デルタ
007 ティルチラパッリ
008 マドゥライ
009 ラーメシュワラム
010 カニャークマリ
021 はじめてのケーララ
022 ティルヴァナンタプラム
023 バックウォーター（コッラム～アラップーザ）

024　コーチ(コーチン)
025　トリシュール
006　ムルタン

ネパール-まちごとアジア

001　はじめてのカトマンズ
002　カトマンズ
003　スワヤンブナート
004　パタン
005　バクタプル
006　ポカラ
007　ルンビニ
008　チトワン国立公園

バングラデシュ-まちごとアジア

001　はじめてのバングラデシュ
002　ダッカ
003　バゲルハット(クルナ)
004　シュンドルボン
005　プティア
006　モハスタン(ボグラ)
007　パハルプール

パキスタン-まちごとアジア

002　フンザ
003　ギルギット(KKH)
004　ラホール
005　ハラッパ

イラン-まちごとアジア

001　はじめてのイラン
002　テヘラン
003　イスファハン
004　シーラーズ
005　ペルセポリス
006　パサルガダエ(ナグシェ・ロスタム)
007　ヤズド
008　チョガ・ザンビル(アフヴァーズ)
009　タブリーズ
010　アルダビール

北京-まちごとチャイナ

001　はじめての北京
002　故宮(天安門広場)
003　胡同と旧皇城
004　天壇と旧崇文区
005　瑠璃廠と旧宣武区
006　王府井と市街東部
007　北京動物園と市街西部
008　頤和園と西山
009　盧溝橋と周口店
010　万里の長城と明十三陵

天津-まちごとチャイナ

001　はじめての天津
002　天津市街
003　浜海新区と市街南部
004　薊県と清東陵

上海-まちごとチャイナ

001　はじめての上海
002　浦東新区
003　外灘と南京東路
004　淮海路と市街西部
005　虹口と市街北部
006　上海郊外（龍華・七宝・松江・嘉定）
007　水郷地帯（朱家角・周荘・同里・甪直）

河北省-まちごとチャイナ

001　はじめての河北省
002　石家荘
003　秦皇島
004　承徳
005　張家口
006　保定
007　邯鄲

江蘇省-まちごとチャイナ

001　はじめての江蘇省
002　はじめての蘇州
003　蘇州旧城
004　蘇州郊外と開発区
005　無錫
006　揚州
007　鎮江
008　はじめての南京
009　南京旧城
010　南京紫金山と下関
011　雨花台と南京郊外・開発区
012　徐州

浙江省-まちごとチャイナ

001　はじめての浙江省
002　はじめての杭州
003　西湖と山林杭州
004　杭州旧城と開発区
005　紹興
006　はじめての寧波
007　寧波旧城
008　寧波郊外と開発区
009　普陀山
010　天台山
011　温州

福建省-まちごとチャイナ

001　はじめての福建省
002　はじめての福州
003　福州旧城
004　福州郊外と開発区
005　武夷山

006　泉州
007　厦門
008　客家土楼

007　瀋陽故宮と旧市街
008　瀋陽駅と市街地
009　北陵と瀋陽郊外
010　撫順

広東省-まちごとチャイナ

001　はじめての広東省
002　はじめての広州
003　広州古城
004　広州天河と東山
005　はじめての深圳(深セン)
006　東莞
007　開平(江門)
008　韶関
009　はじめての潮汕
010　潮州
011　汕頭
012　広州西関と珠江
013　広州郊外
014　深圳市街
015　深圳郊外

遼寧省-まちごとチャイナ

001　はじめての遼寧省
002　はじめての大連
003　大連市街
004　旅順
005　金州新区
006　はじめての瀋陽

重慶-まちごとチャイナ

001　はじめての重慶
002　重慶市街
003　三峡下り(重慶~宜昌)
004　大足
005　重慶郊外と開発区

四川省-まちごとチャイナ

001　はじめての四川省
002　はじめての成都
003　成都旧城
004　成都周縁部
005　青城山と都江堰
006　楽山
007　峨眉山
008　九寨溝

香港-まちごとチャイナ

001　はじめての香港

002　中環と香港島北岸
003　上環と香港島南岸
004　尖沙咀と九龍市街
005　九龍城と九龍郊外
006　新界
007　ランタオ島と島嶼部

マカオ-まちごとチャイナ

001　はじめてのマカオ
002　セナド広場とマカオ中心部
003　媽閣廟とマカオ半島南部
004　東望洋山とマカオ半島北部
005　新口岸とタイパ・コロアン

Juo-Mujin（電子書籍のみ）

Juo-Mujin香港縦横無尽
Juo-Mujin北京縦横無尽
Juo-Mujin上海縦横無尽
Juo-Mujin台北縦横無尽
見せよう! 上海で中国語
見せよう! 蘇州で中国語
見せよう! 杭州で中国語
見せよう! デリーでヒンディー語
見せよう! タージマハルでヒンディー語
見せよう! 砂漠のラジャスタンでヒンディー語

自力旅游中国Tabisuru CHINA

001　バスに揺られて「自力で長城」
002　バスに揺られて「自力で石家荘」
003　バスに揺られて「自力で承徳」
004　船に揺られて「自力で普陀山」
005　バスに揺られて「自力で天台山」
006　バスに揺られて「自力で秦皇島」
007　バスに揺られて「自力で張家口」
008　バスに揺られて「自力で邯鄲」
009　バスに揺られて「自力で保定」
010　バスに揺られて「自力で清東陵」
011　バスに揺られて「自力で潮州」
012　バスに揺られて「自力で汕頭」
013　バスに揺られて「自力で温州」
014　バスに揺られて「自力で福州」
015　メトロに揺られて「自力で深圳」

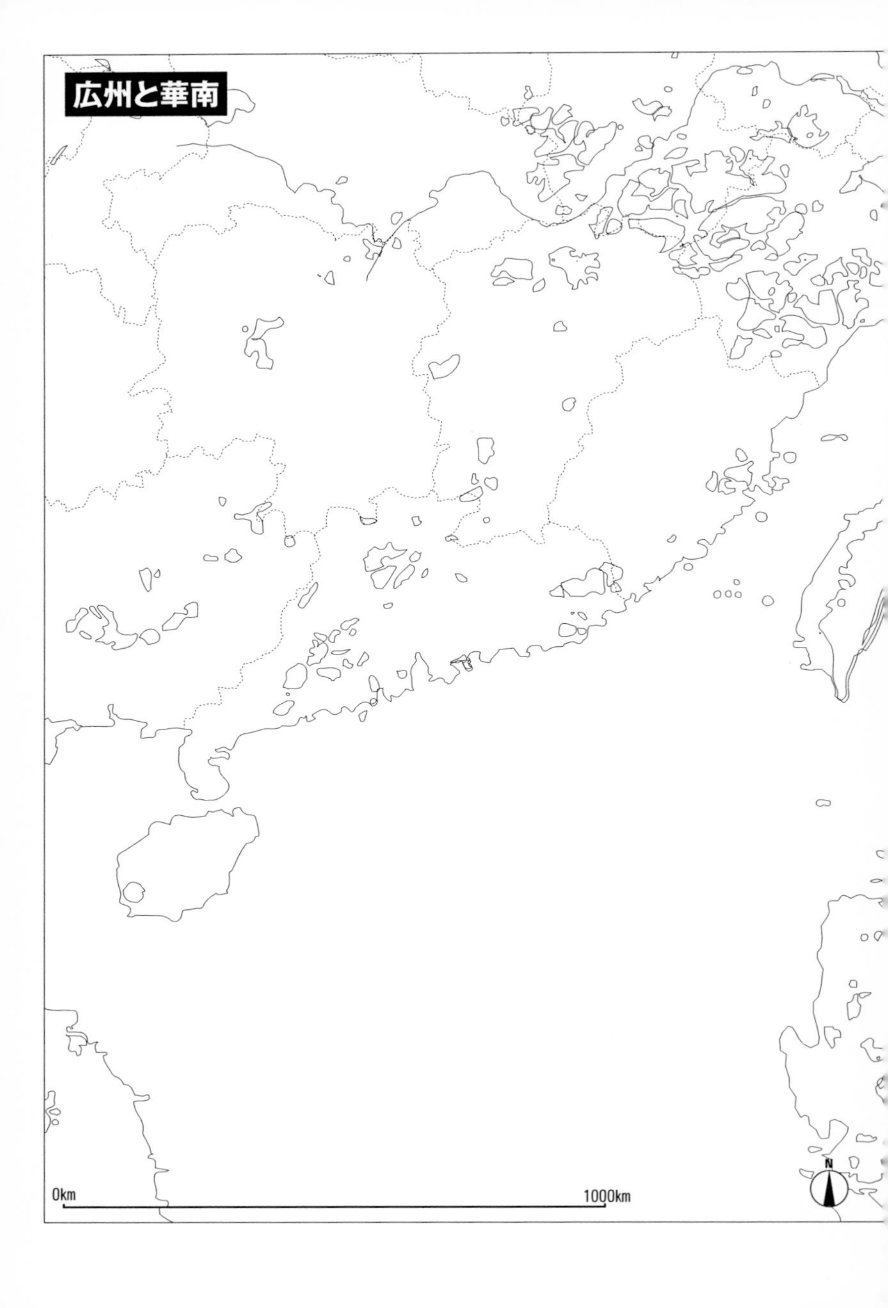
広州と華南
N
0km
1000km

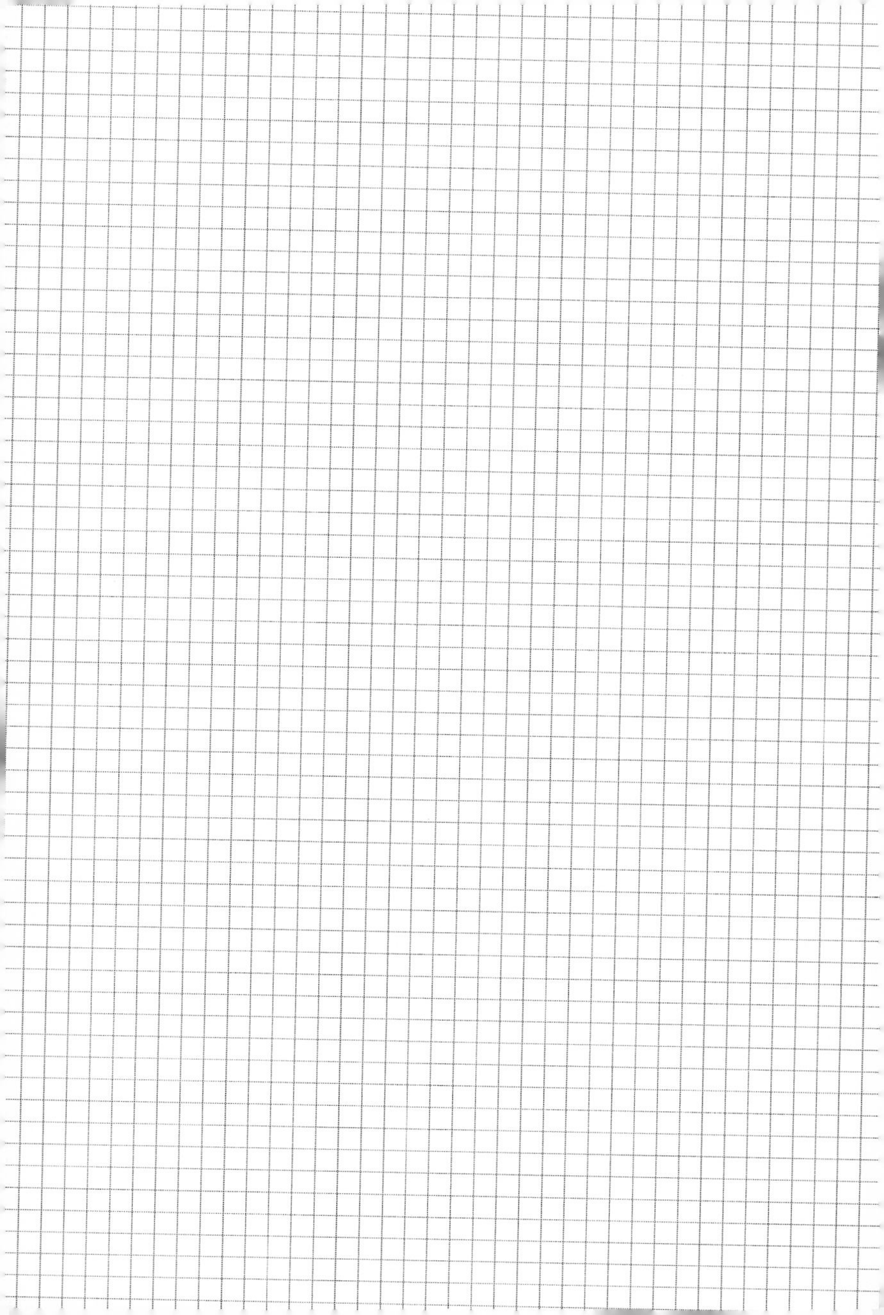

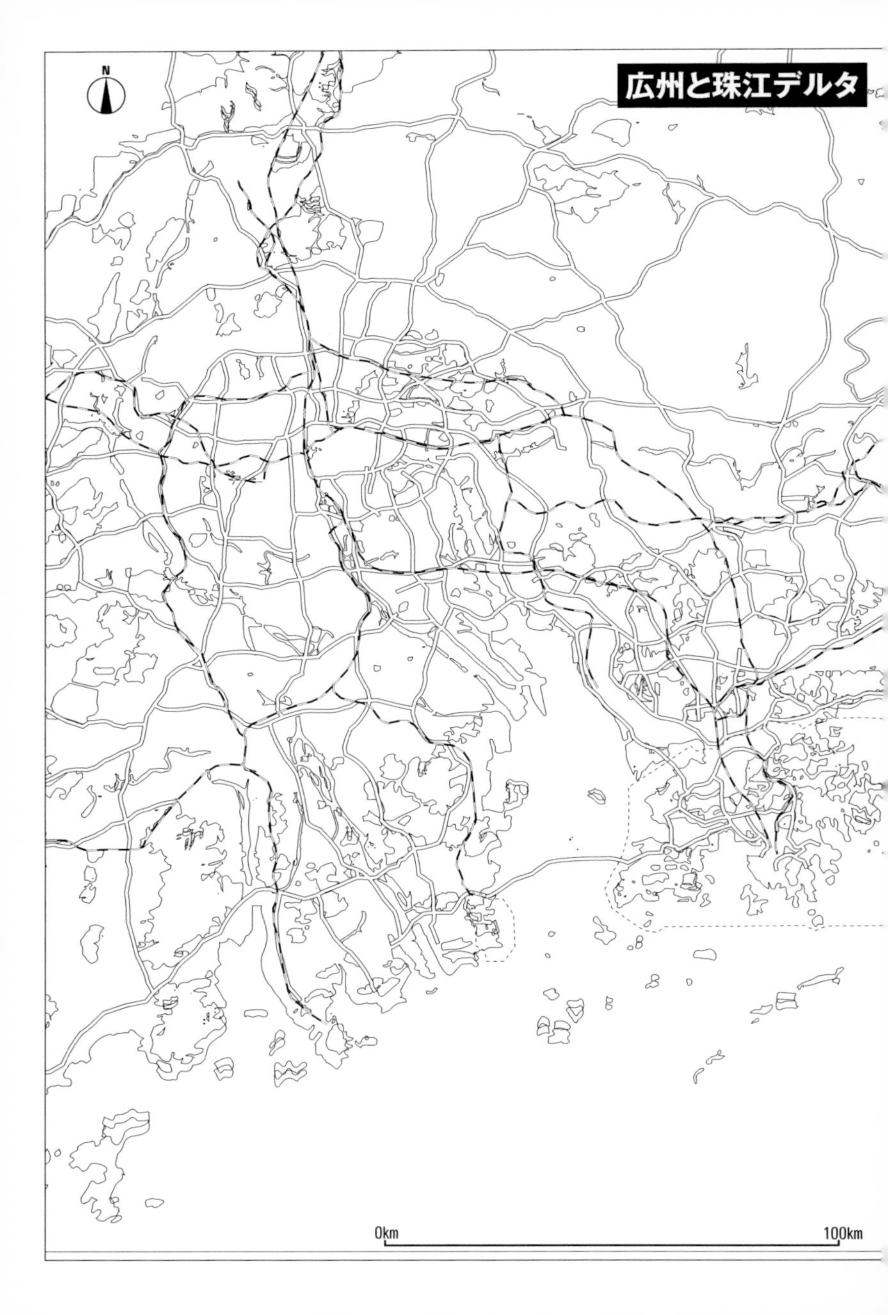
広州と珠江デルタ
N
0km
100km

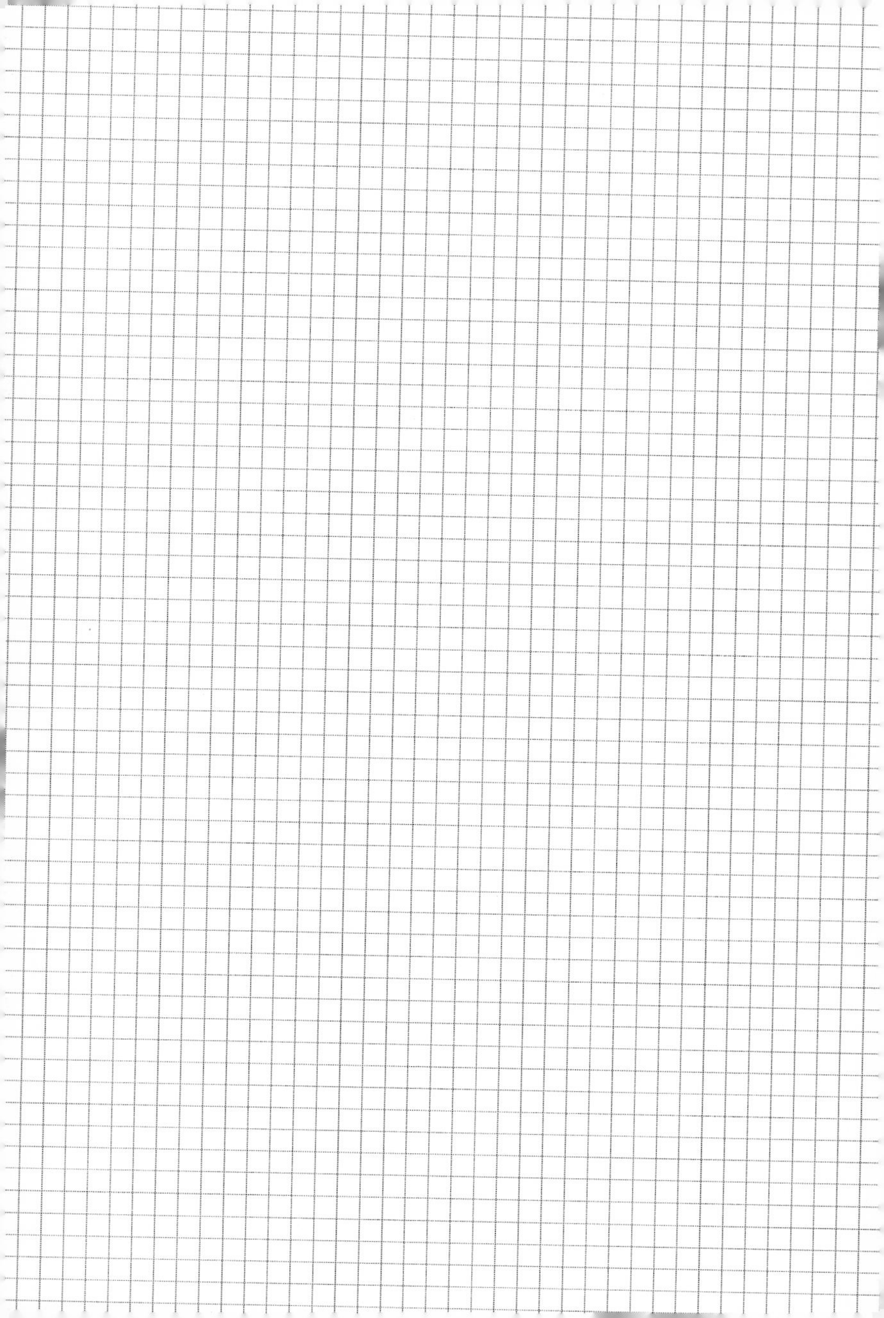

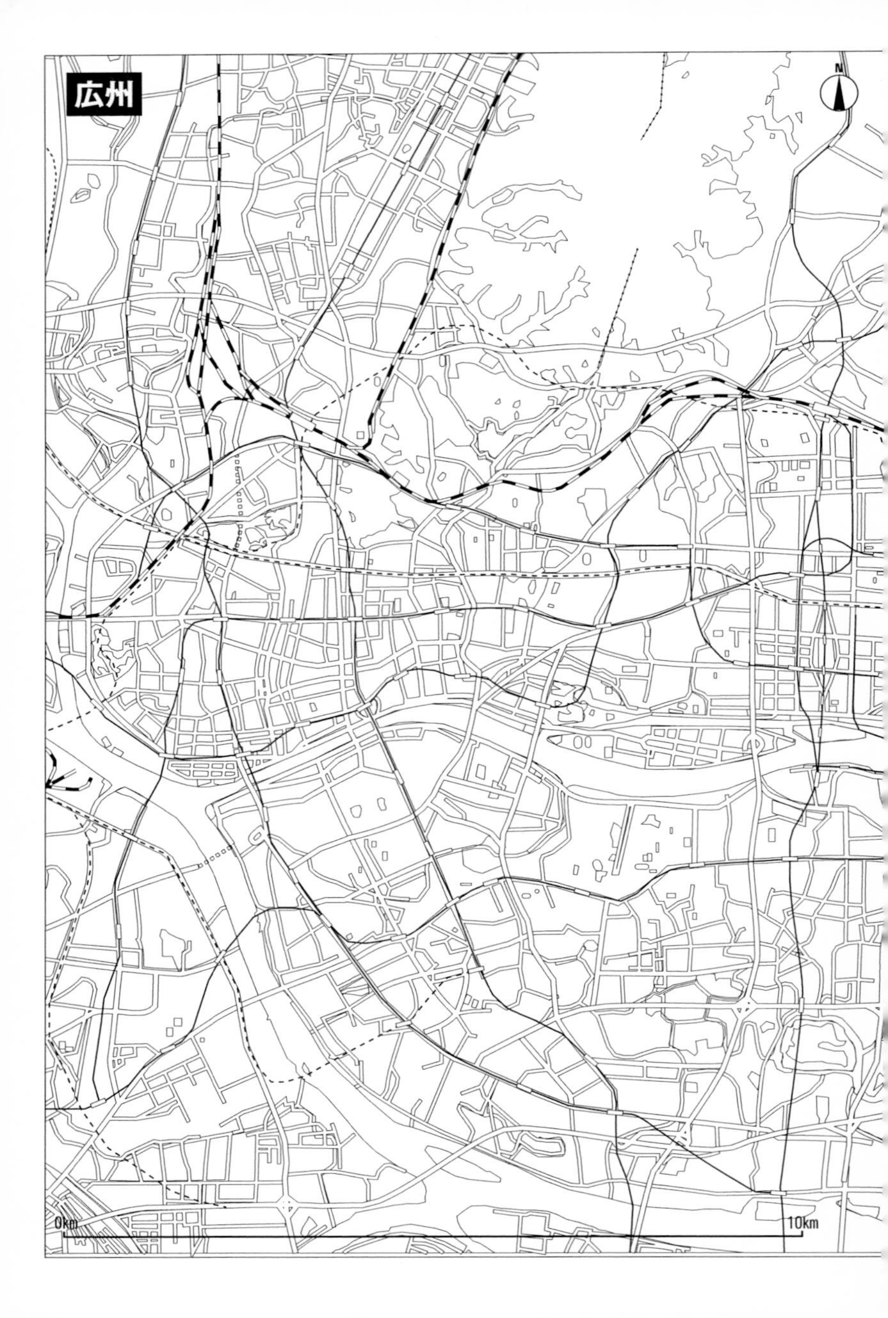
広州
N
0km
10km

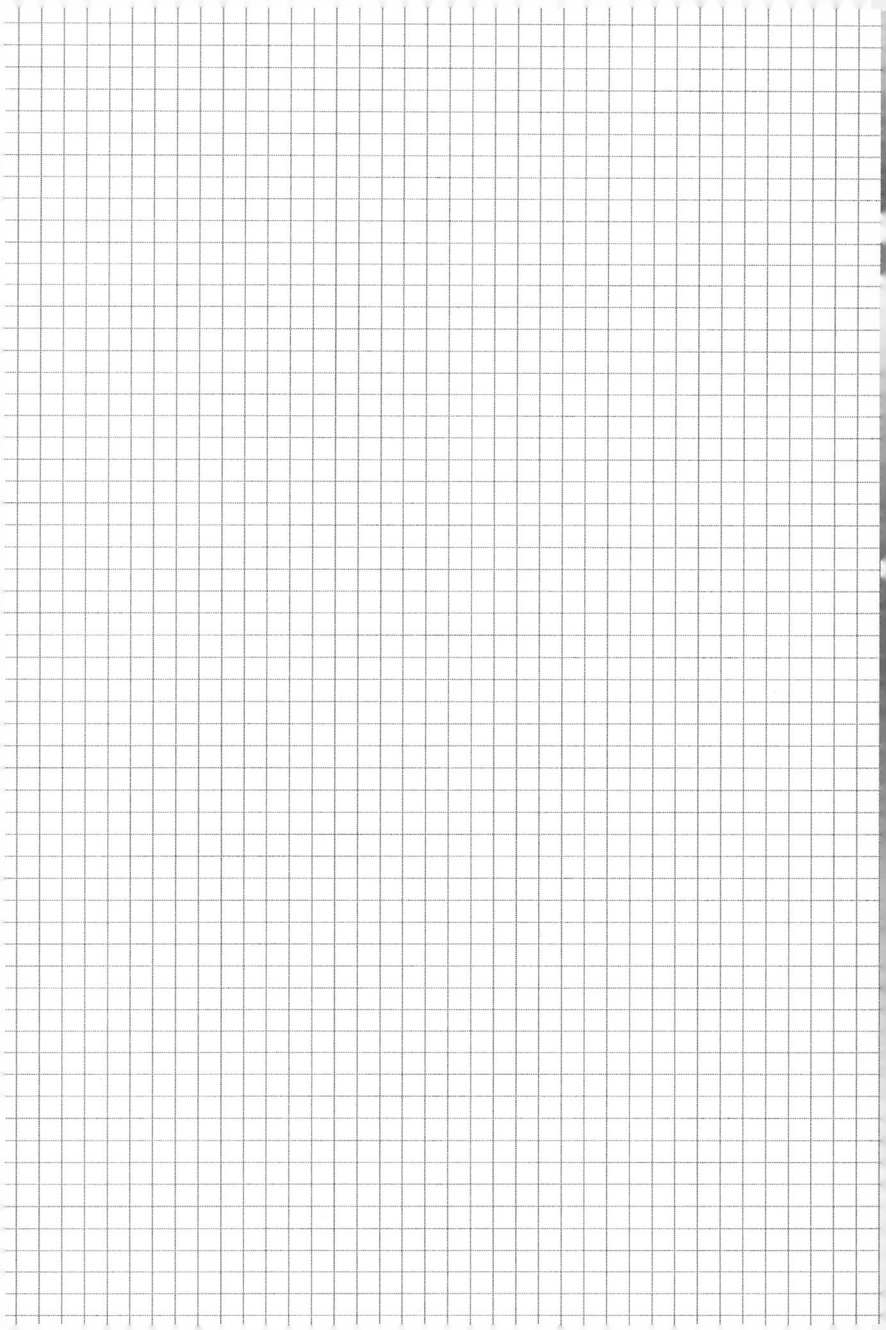

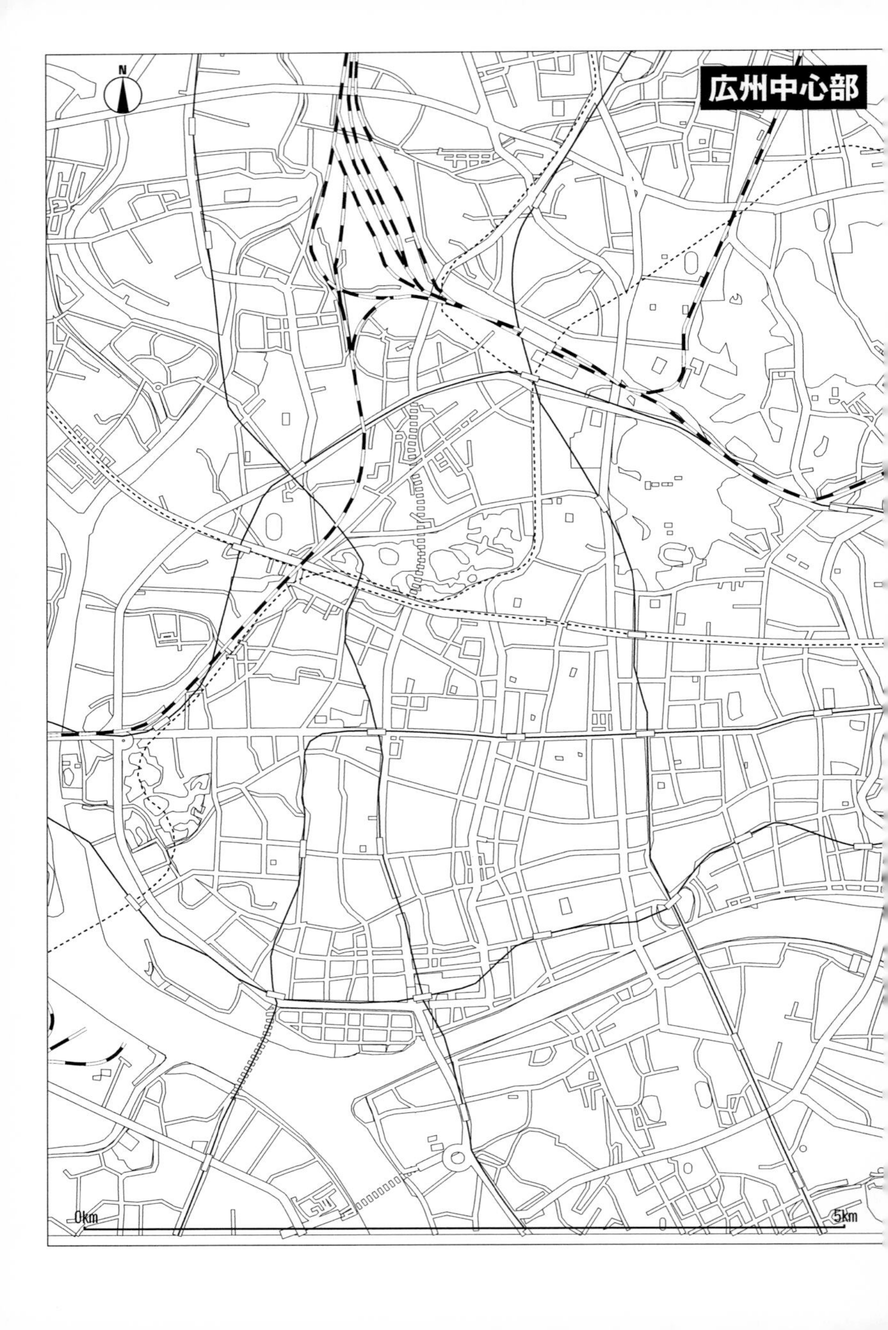
広州中心部
N
0km
5km

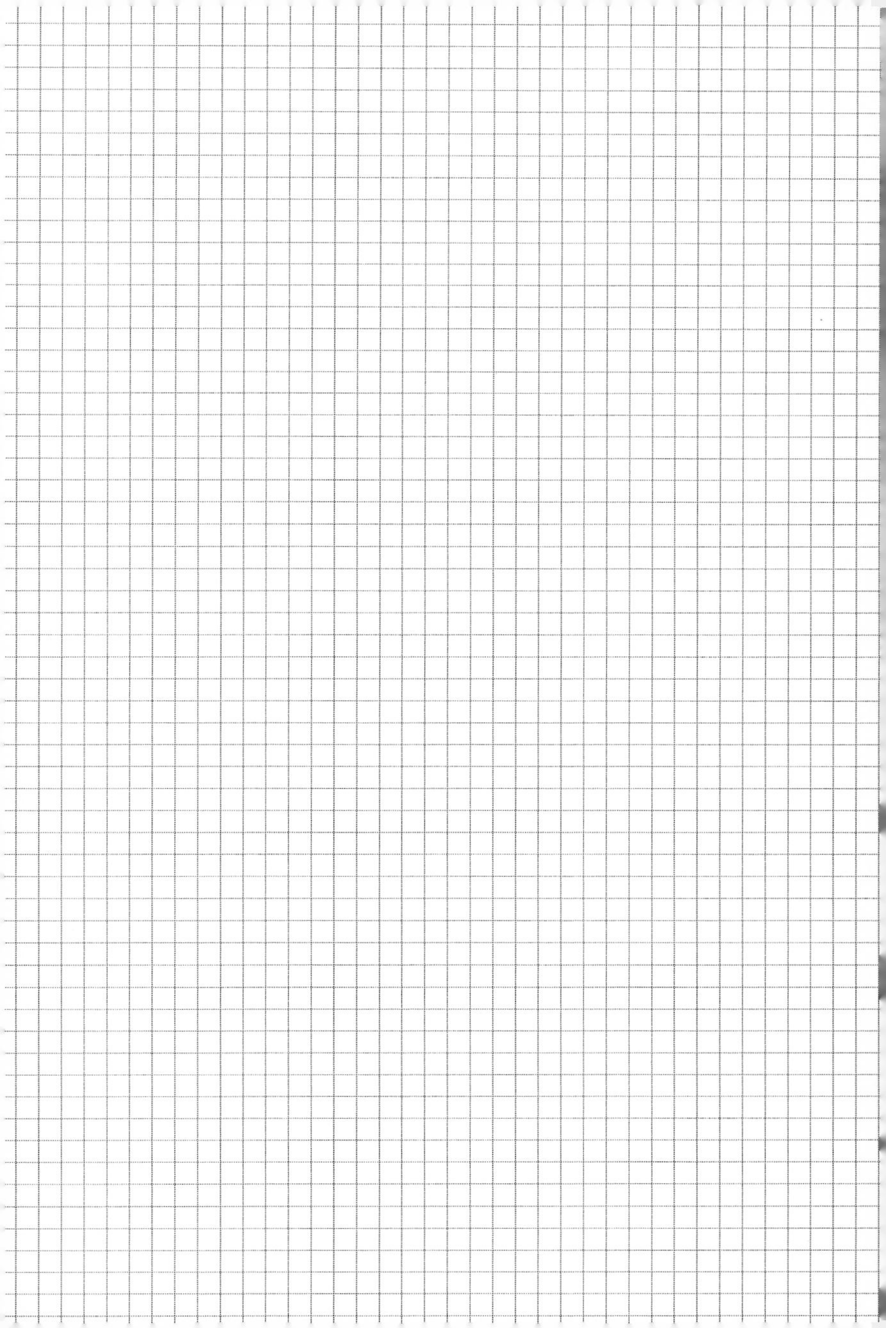

上下九路
N
0km
1km

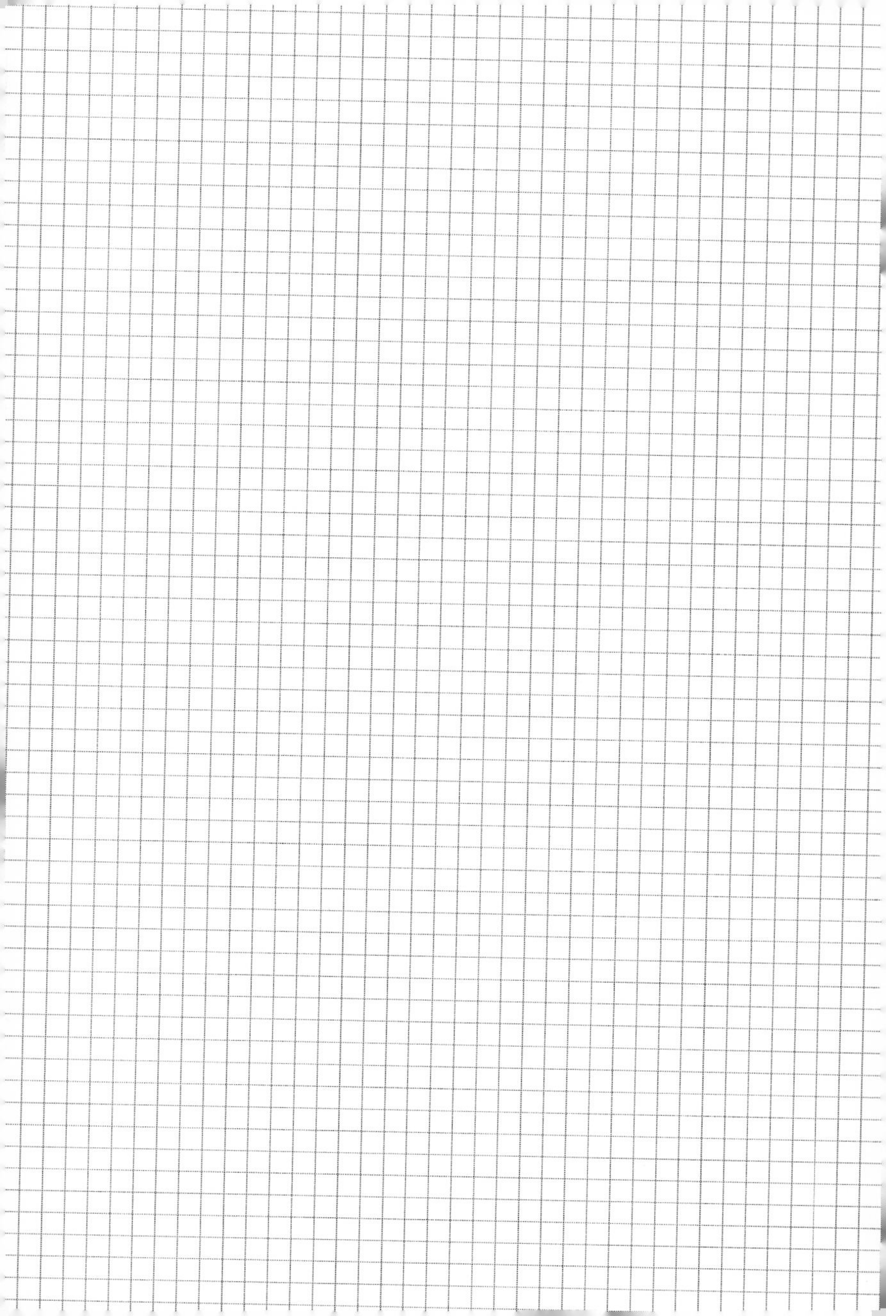

珠江沿岸
N
0km
3km
下九路第十甫
N
0m
500m

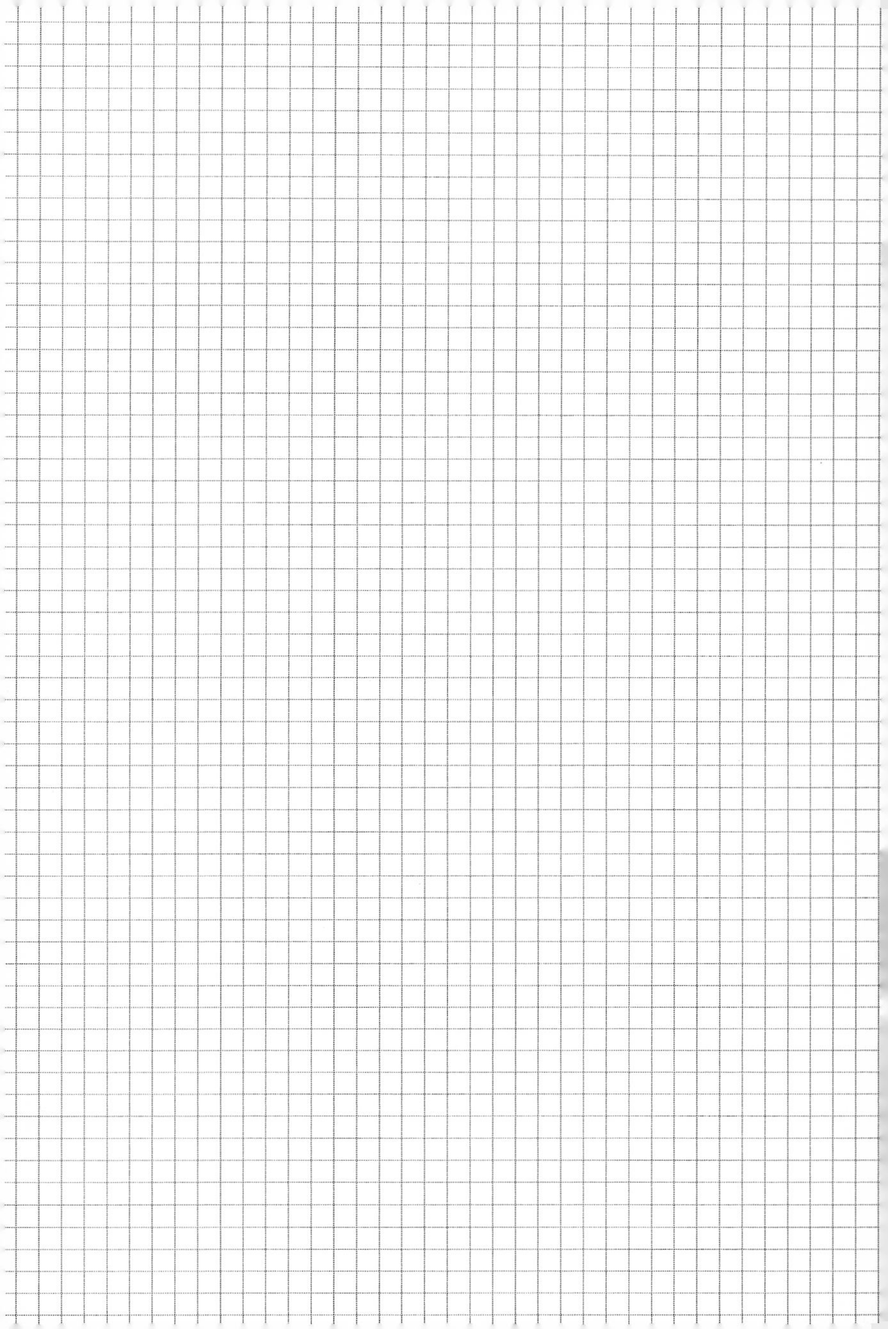

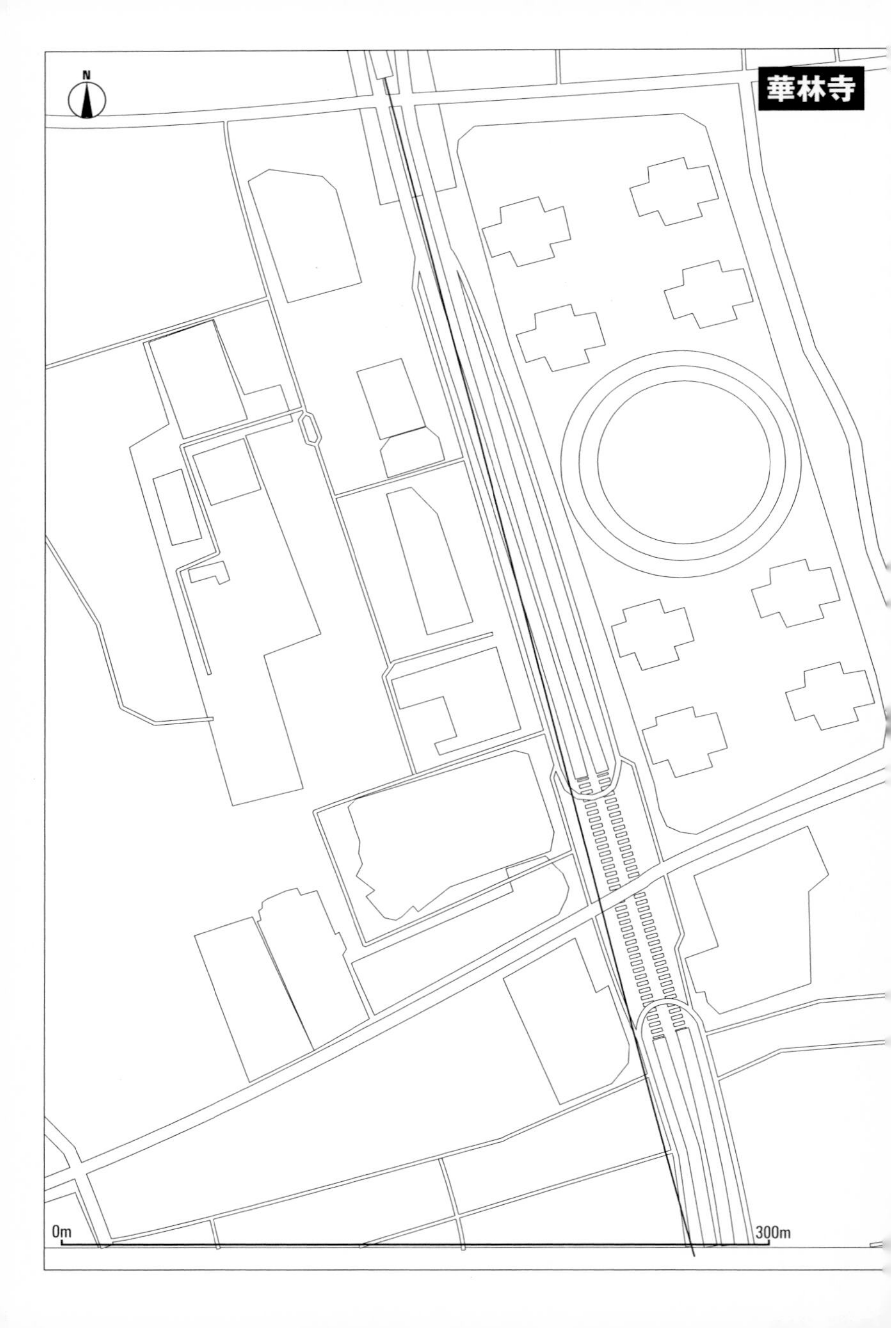
N
華林寺
0m
300m

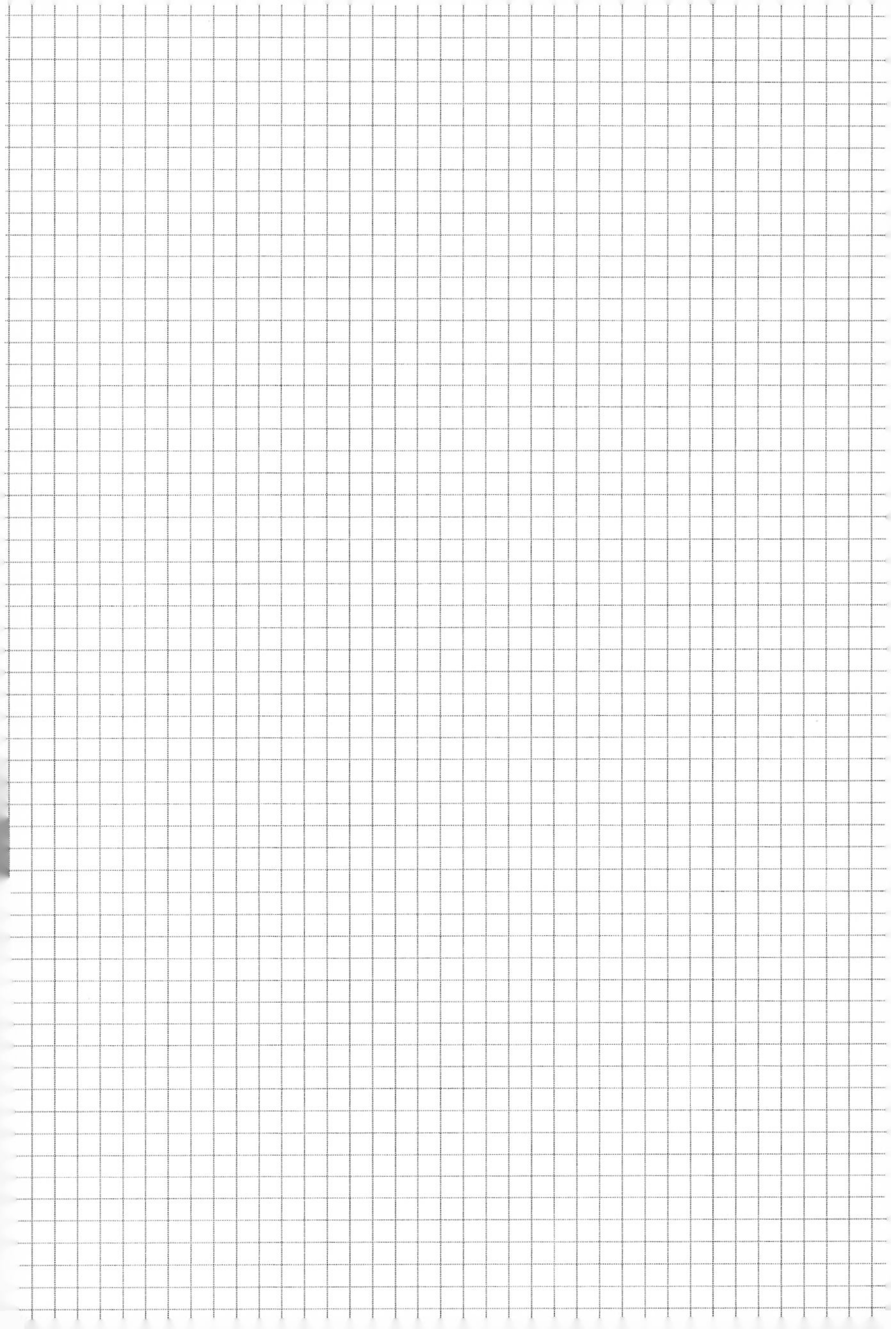

陳家祠
0km
1km
N

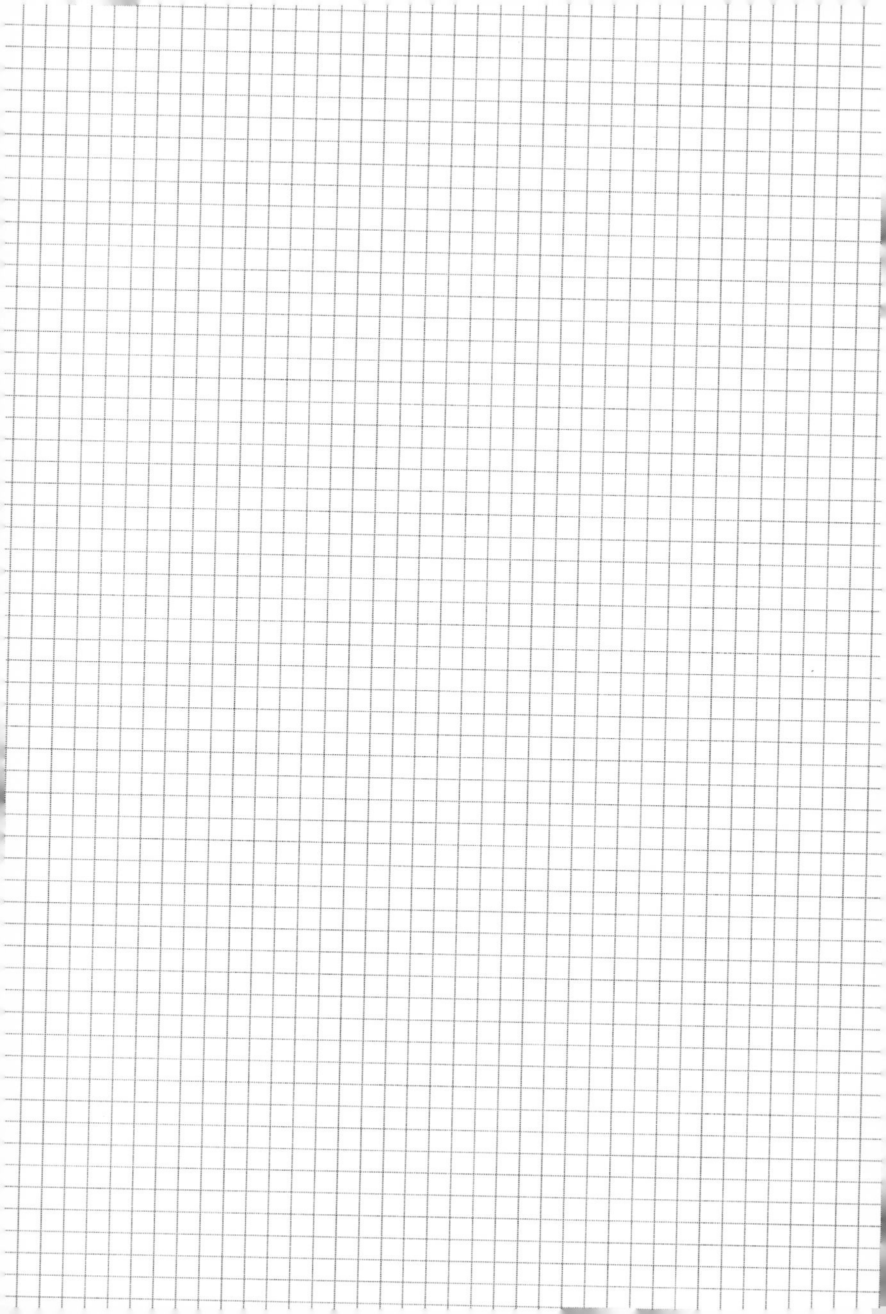

N

陳家祠拡大

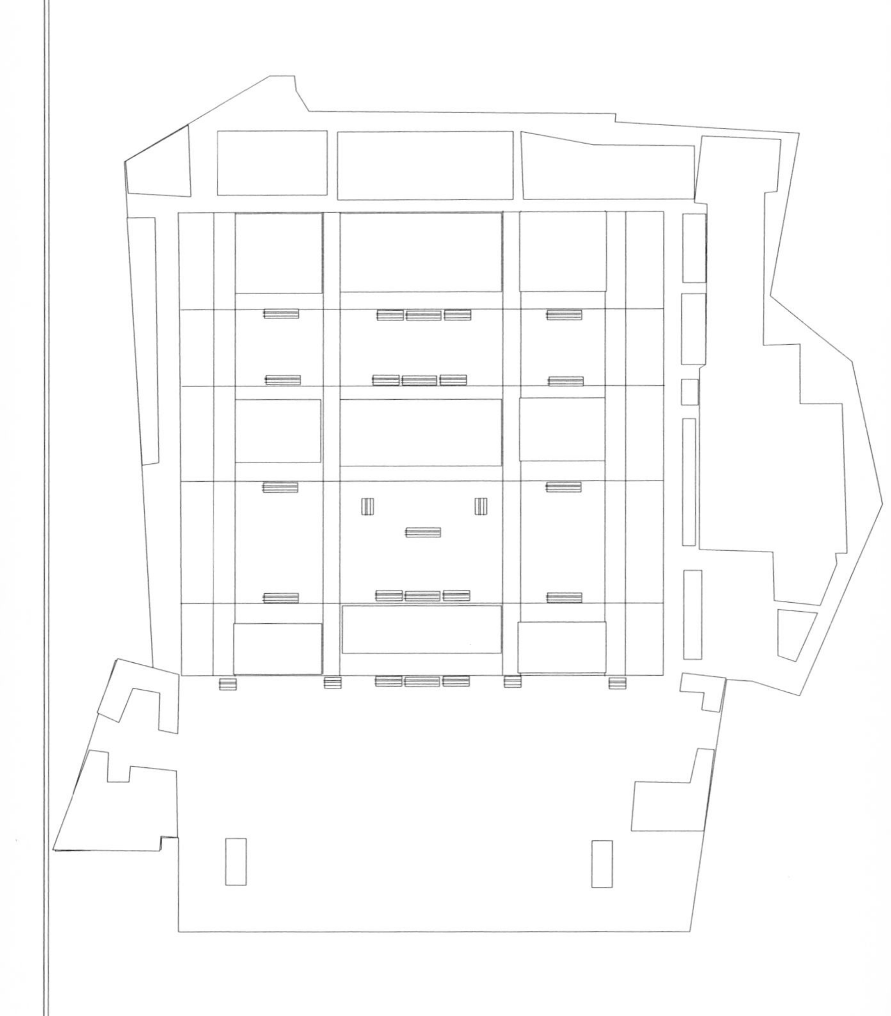
0m
100m

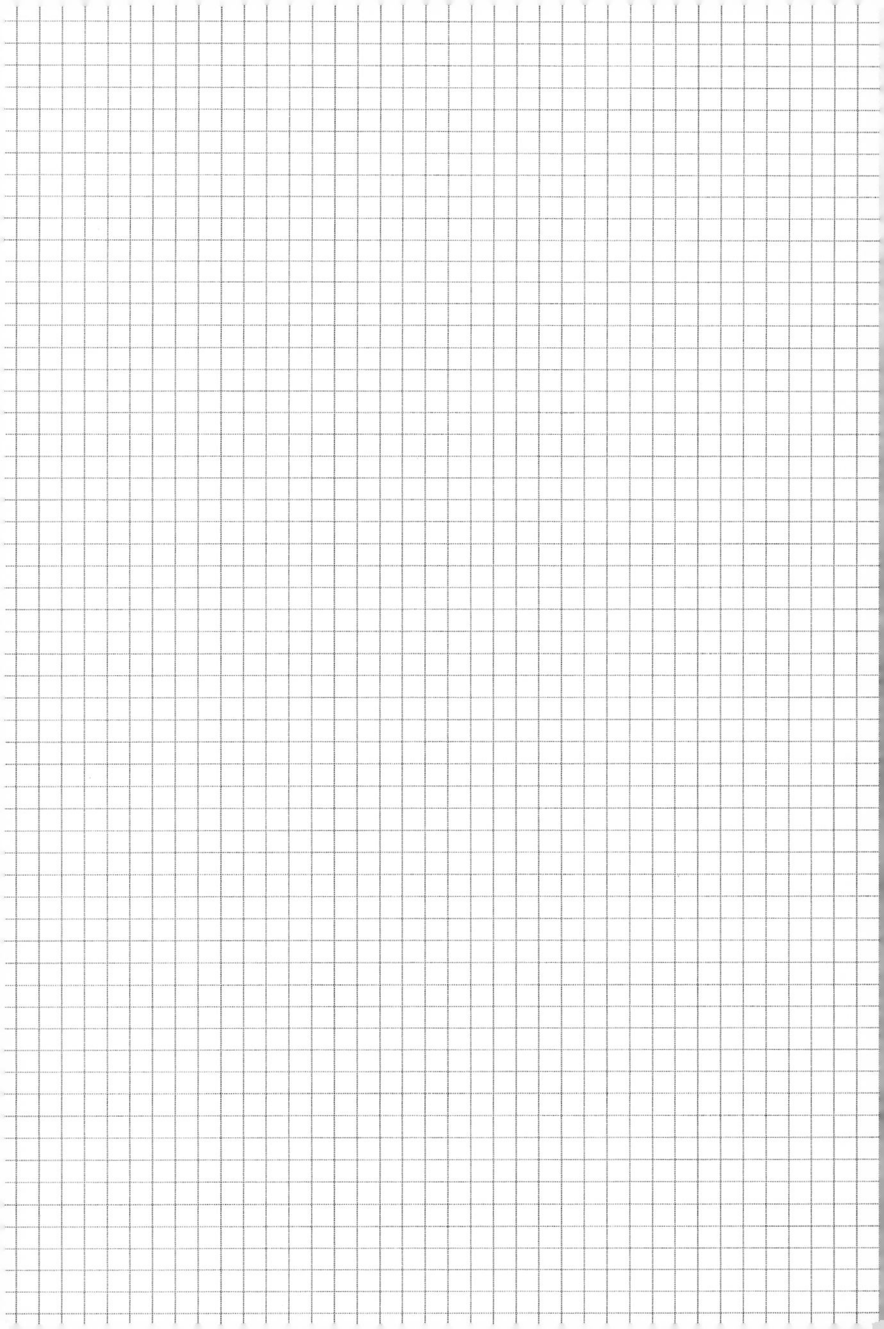

西関角
N
0km
1km

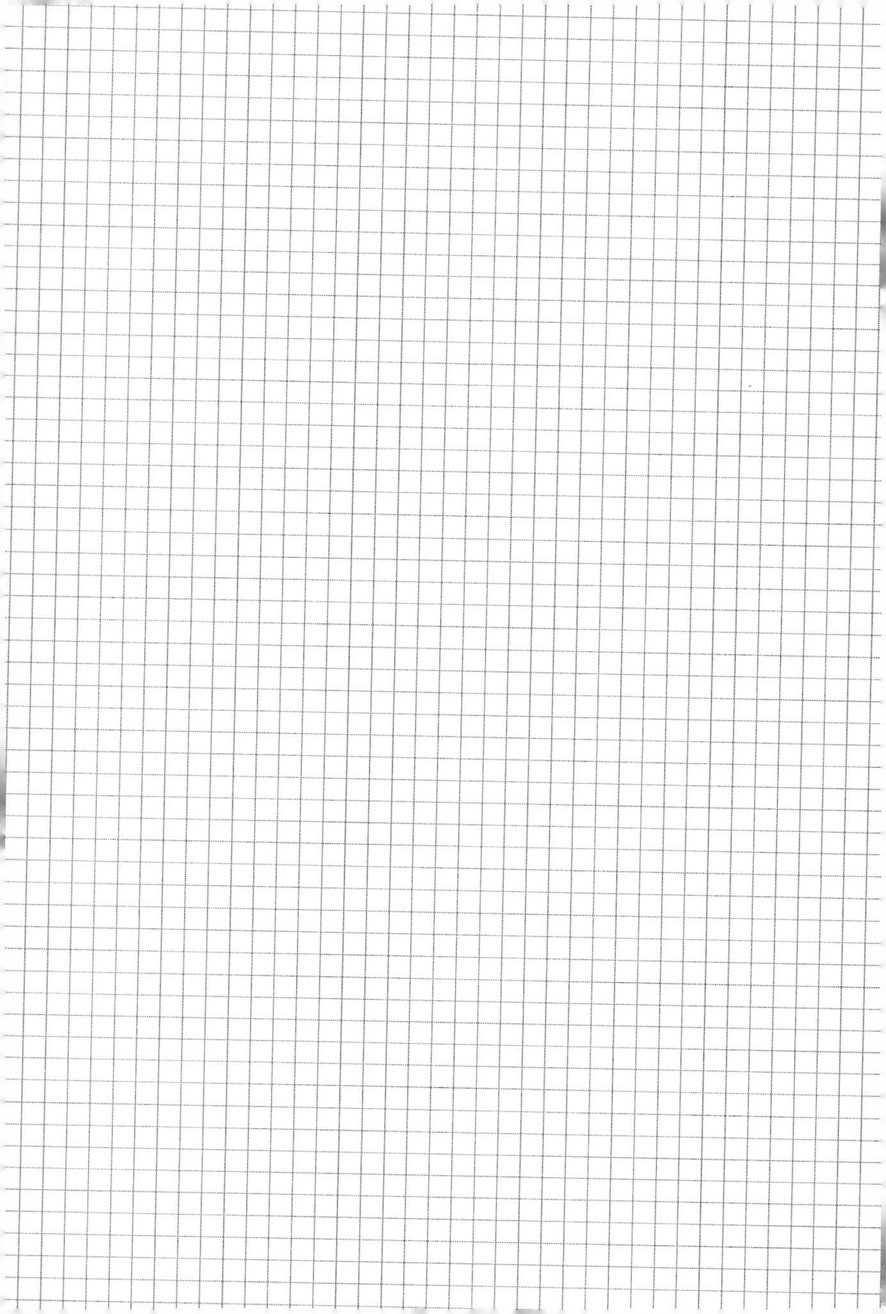

西関角拡大
N
0m
500m

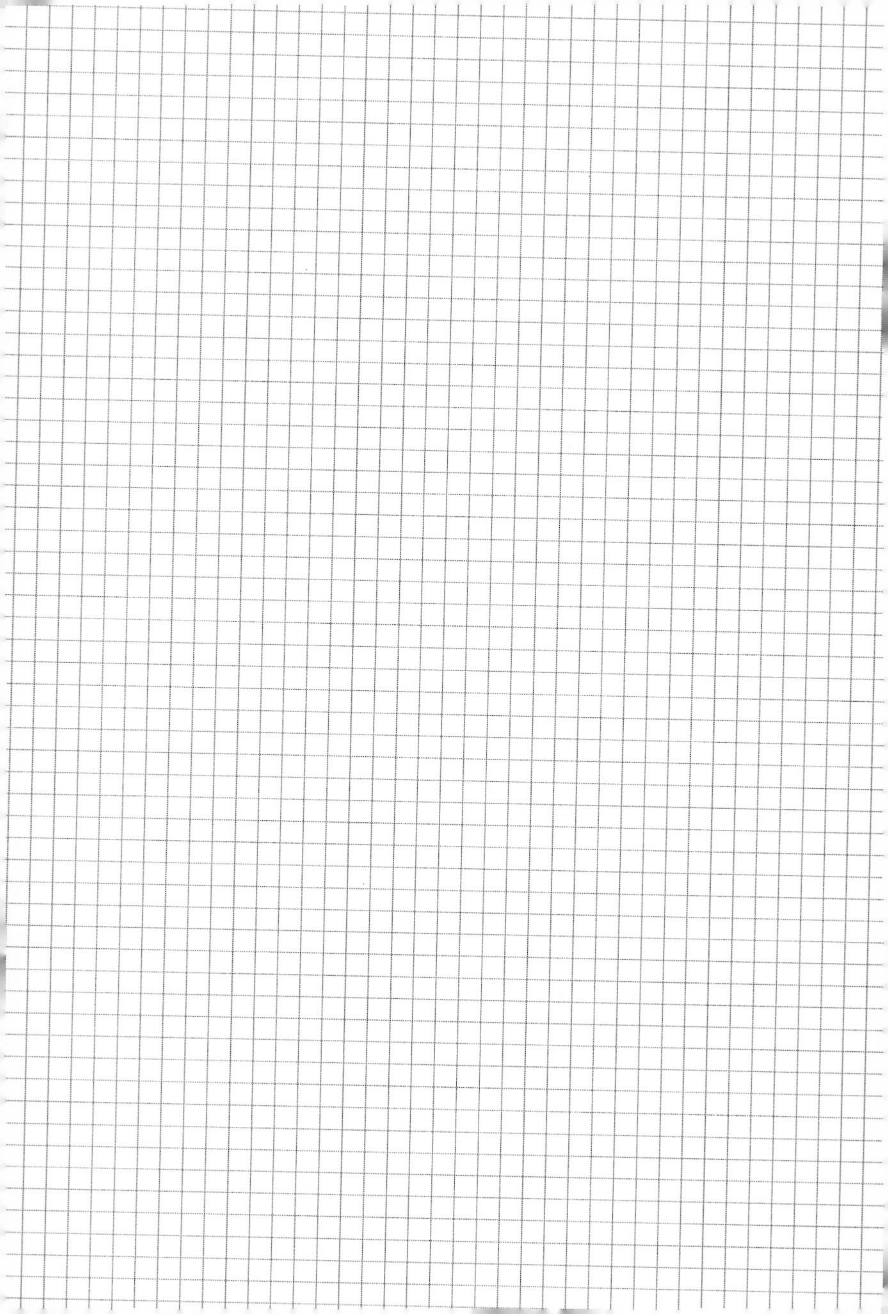

N
西関大屋
0m
300m

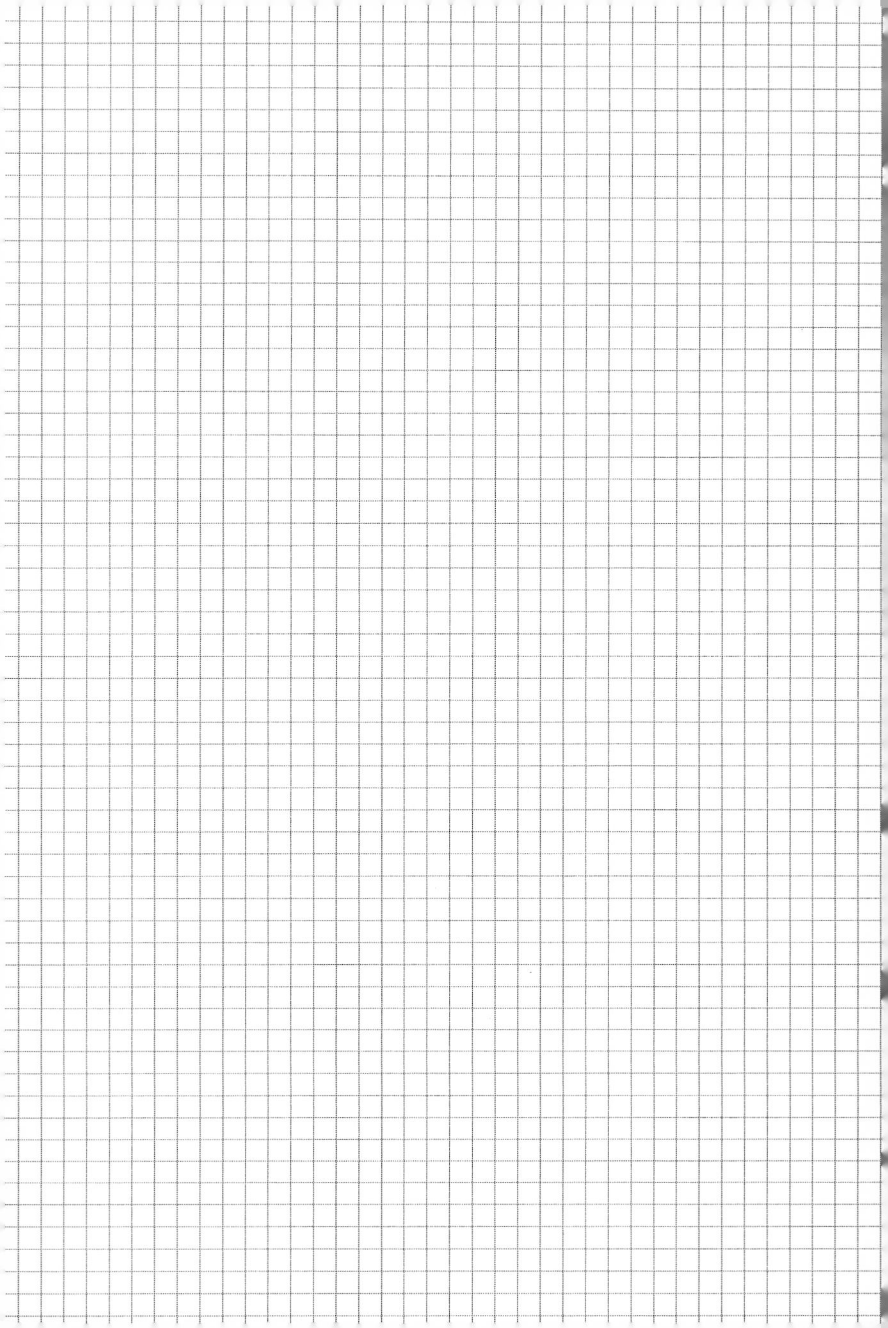

恩寧路
N
0m
500m

珠江沿岸
N
0km
3km
沙基
N
0m
500m

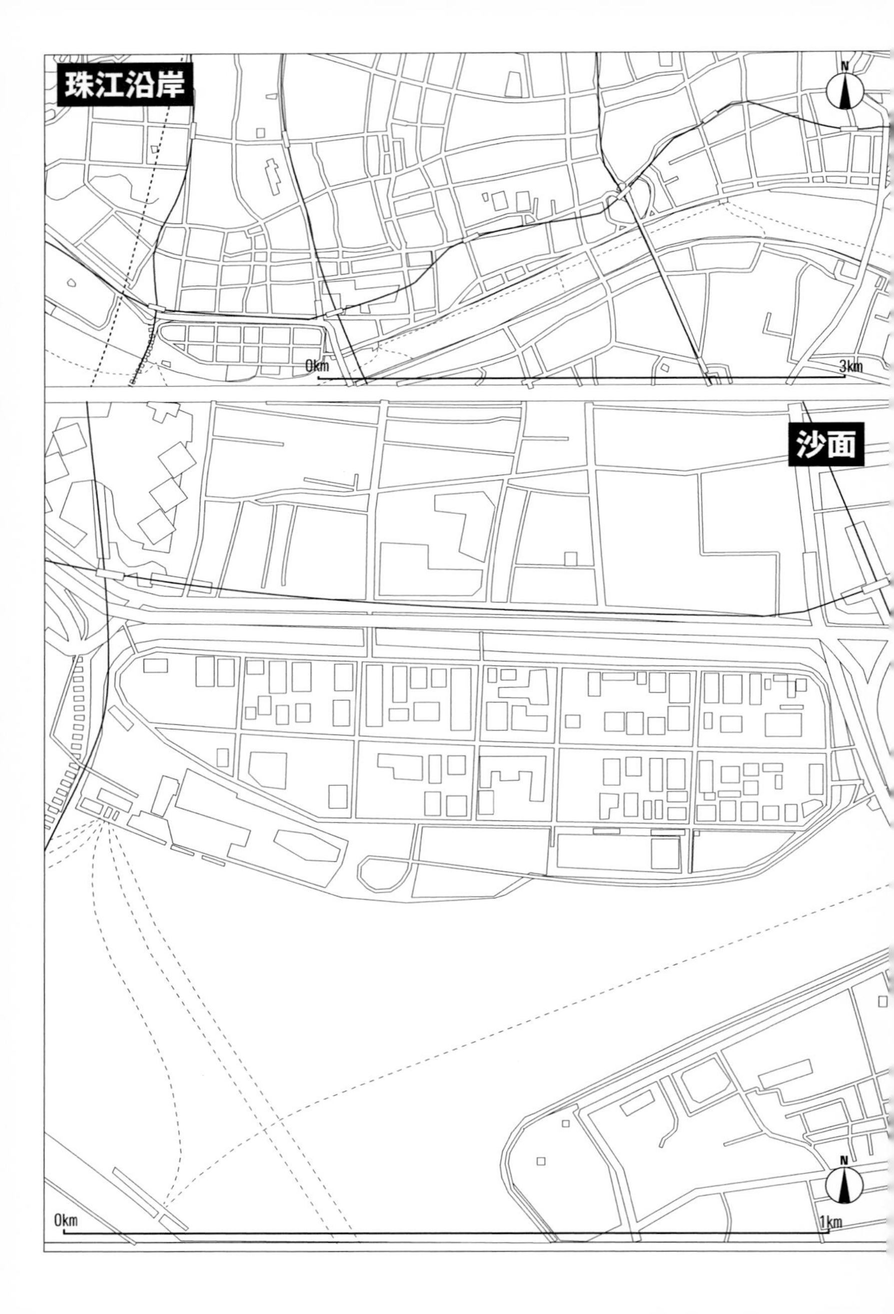
珠江沿岸
N
0km
3km
沙面
N
0km
1km

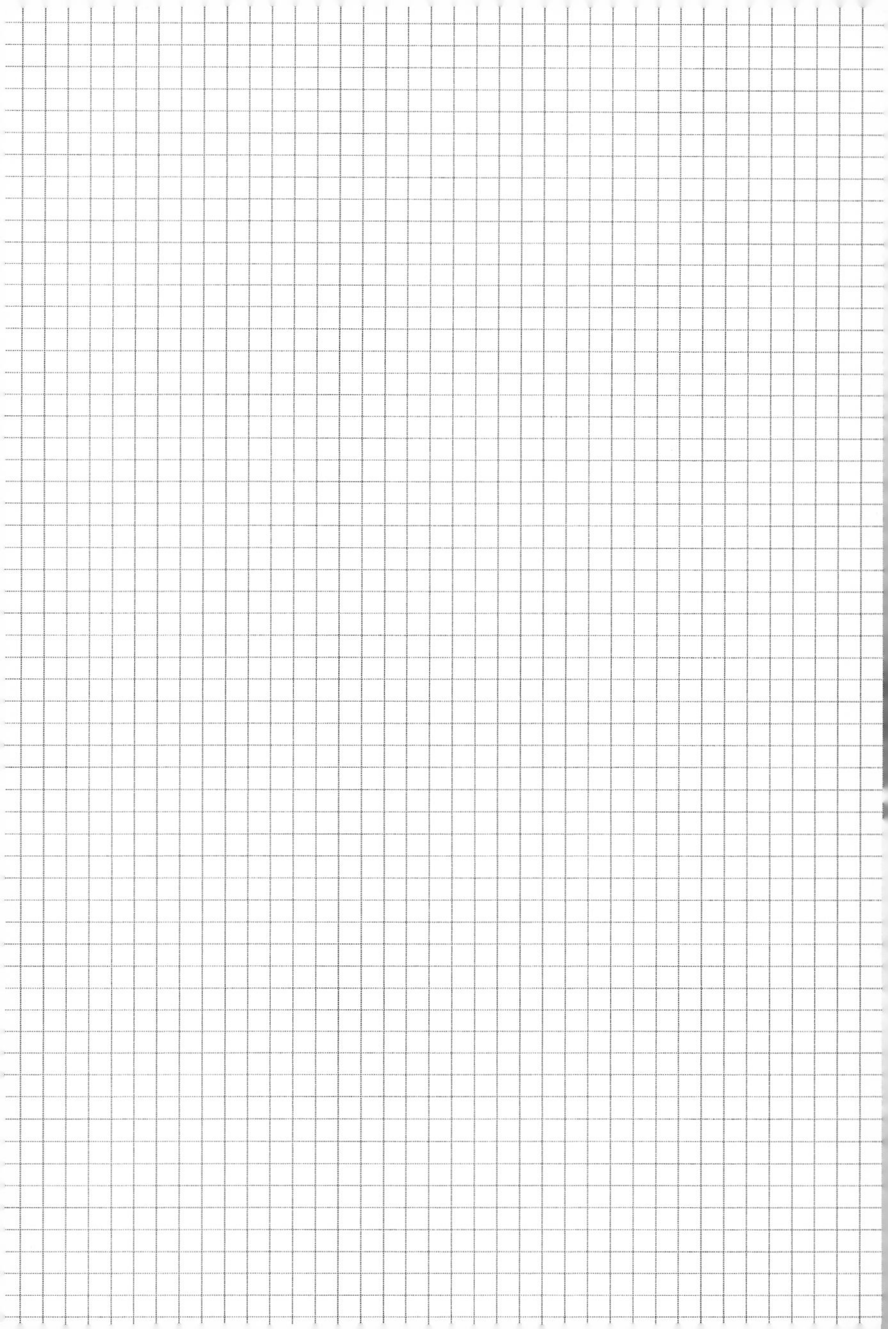

珠江沿岸
N
0km
3km
沙面東部
N
0m
500m

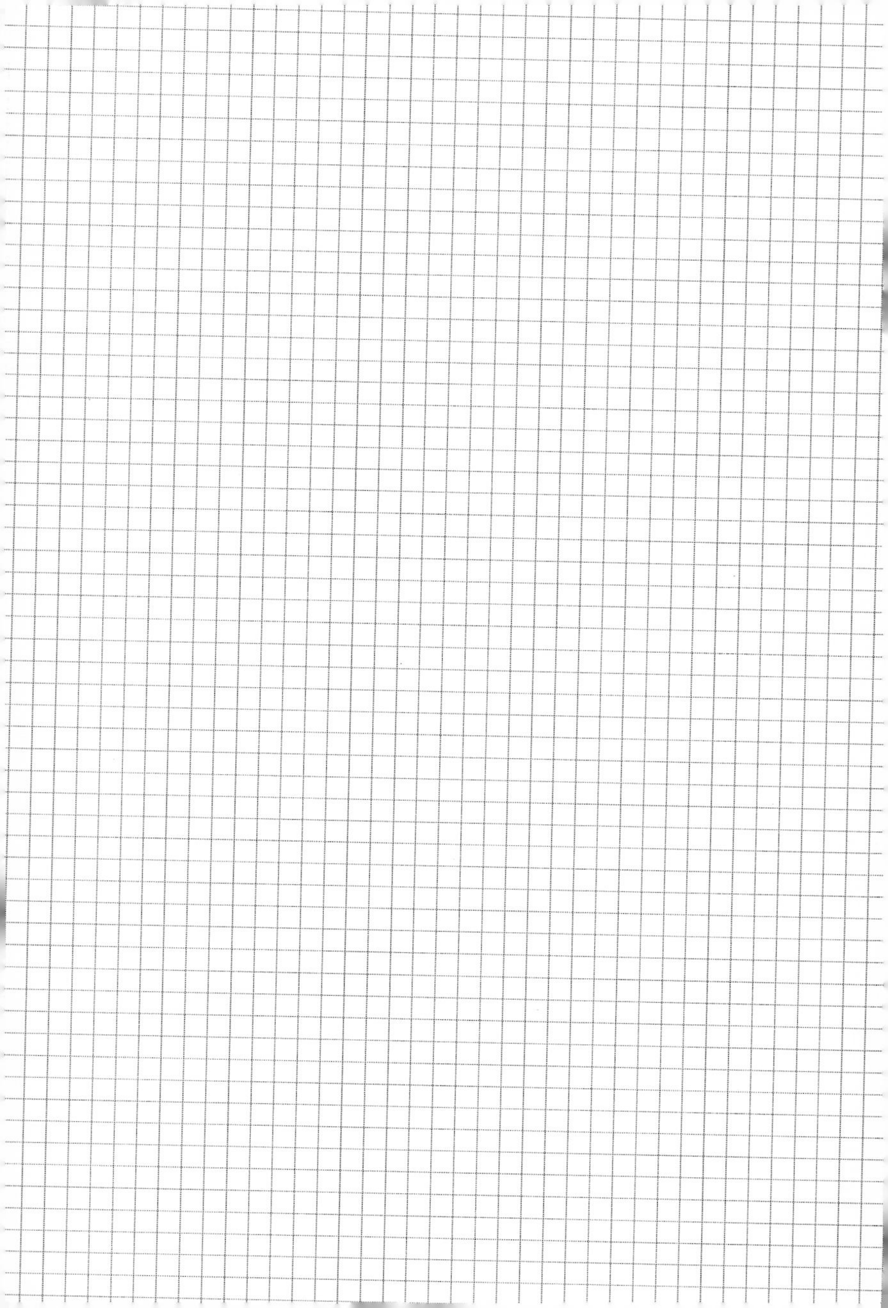

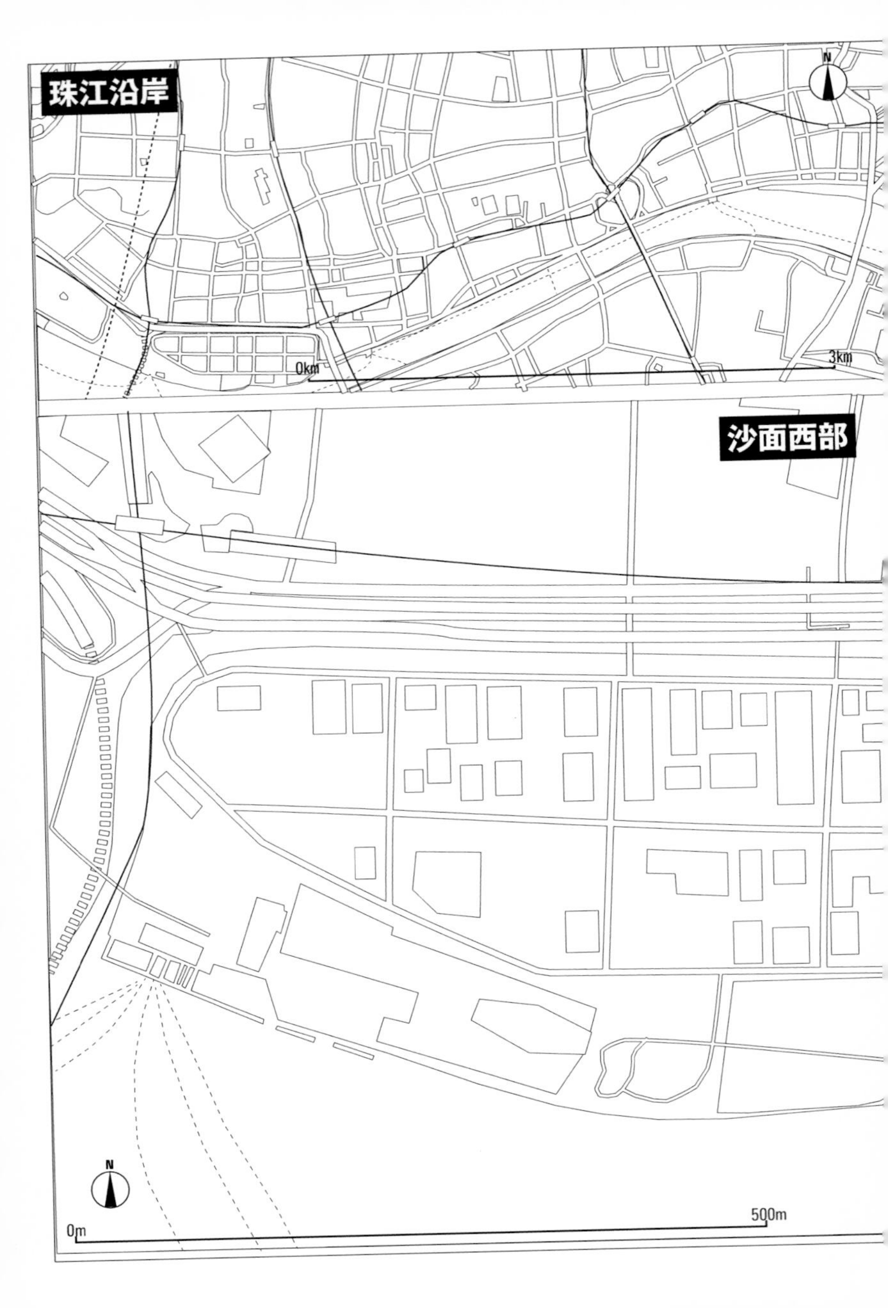

珠江沿岸
N
0km
3km
沙面西部
N
0m
500m

珠江沿岸
N
0km
3km
西堤
N
0m
500m

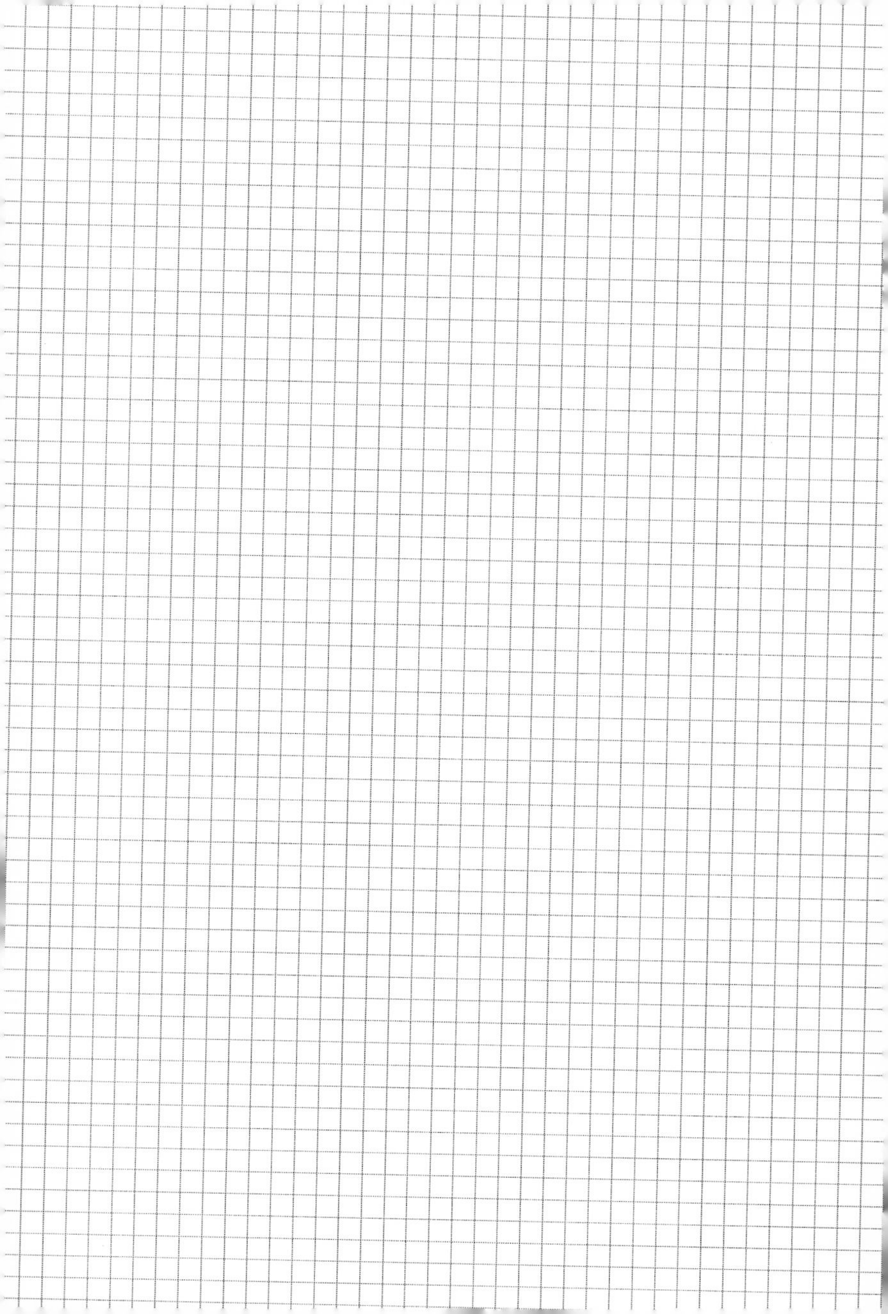

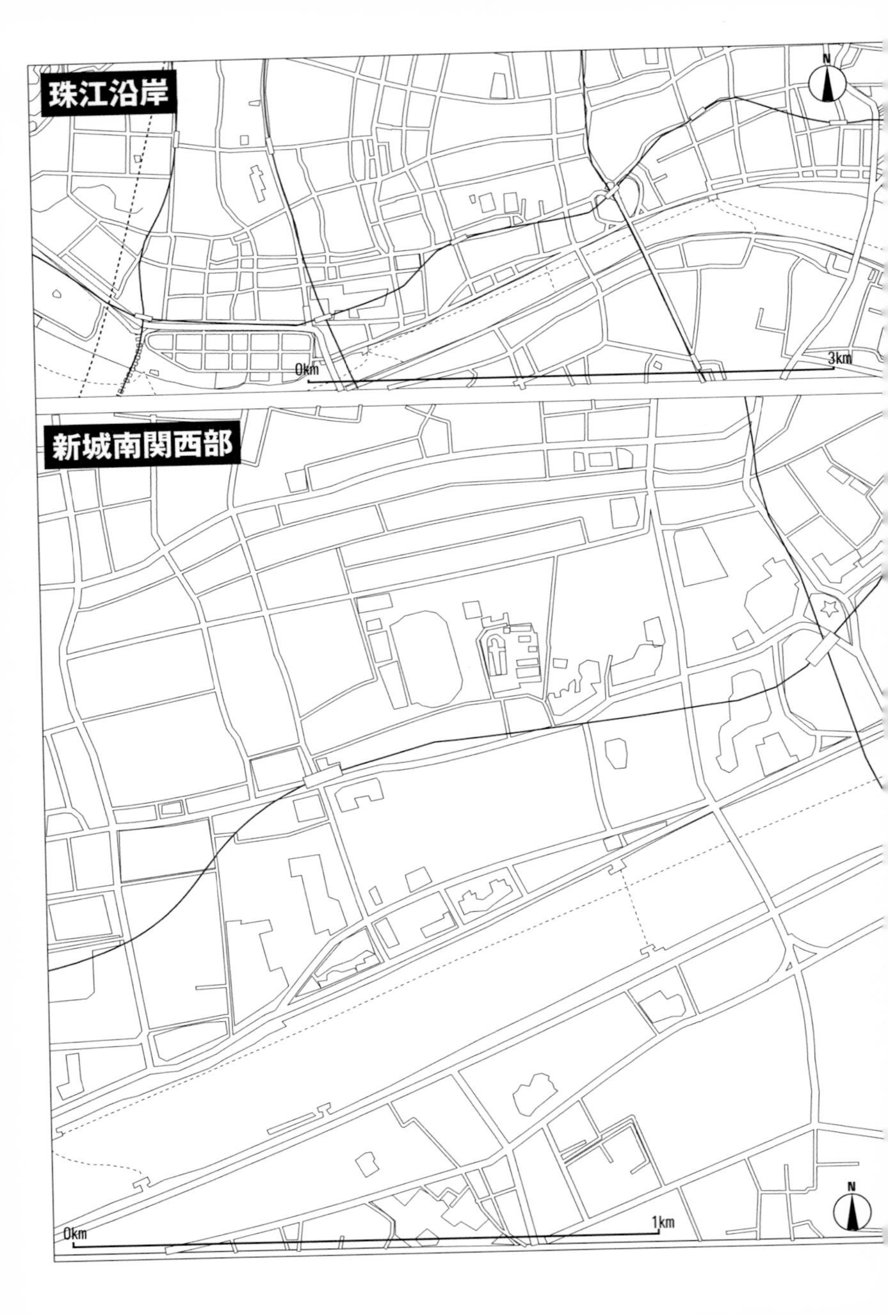

珠江沿岸
N
0km
3km
新城南関西部
N
0km
1km

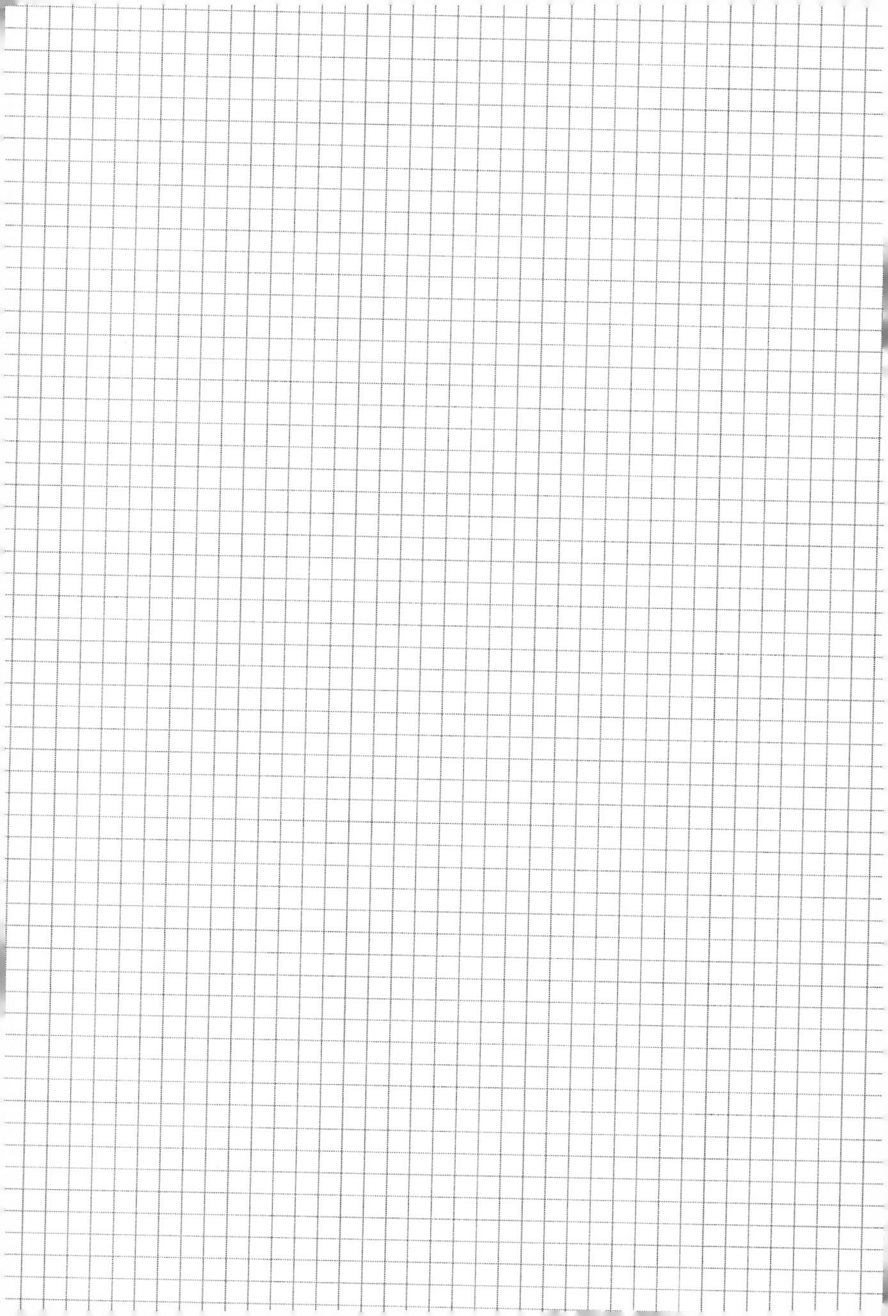

聖心大教堂
N
0m
200m

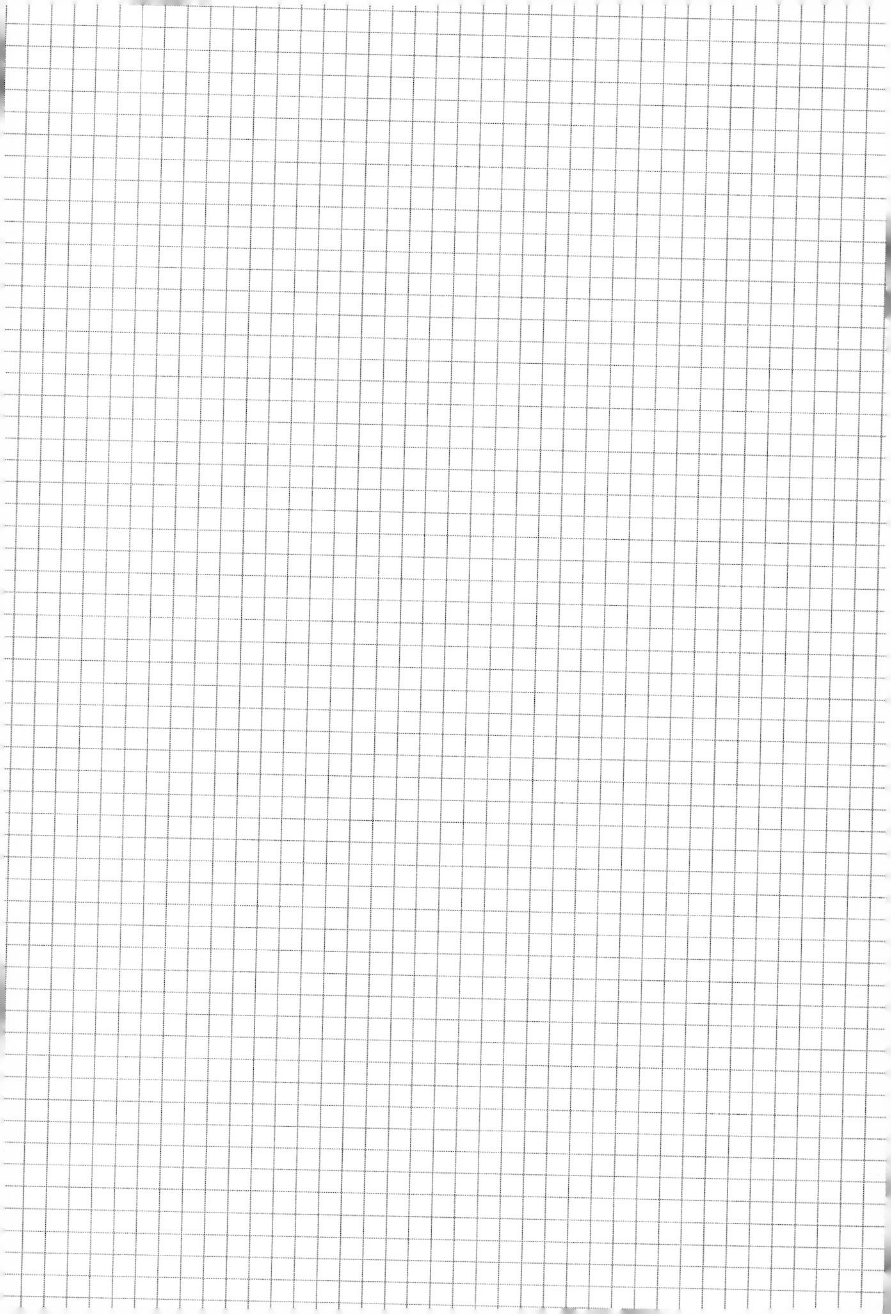

珠江沿岸
N
0km
3km
海珠広場
N
0m
500m

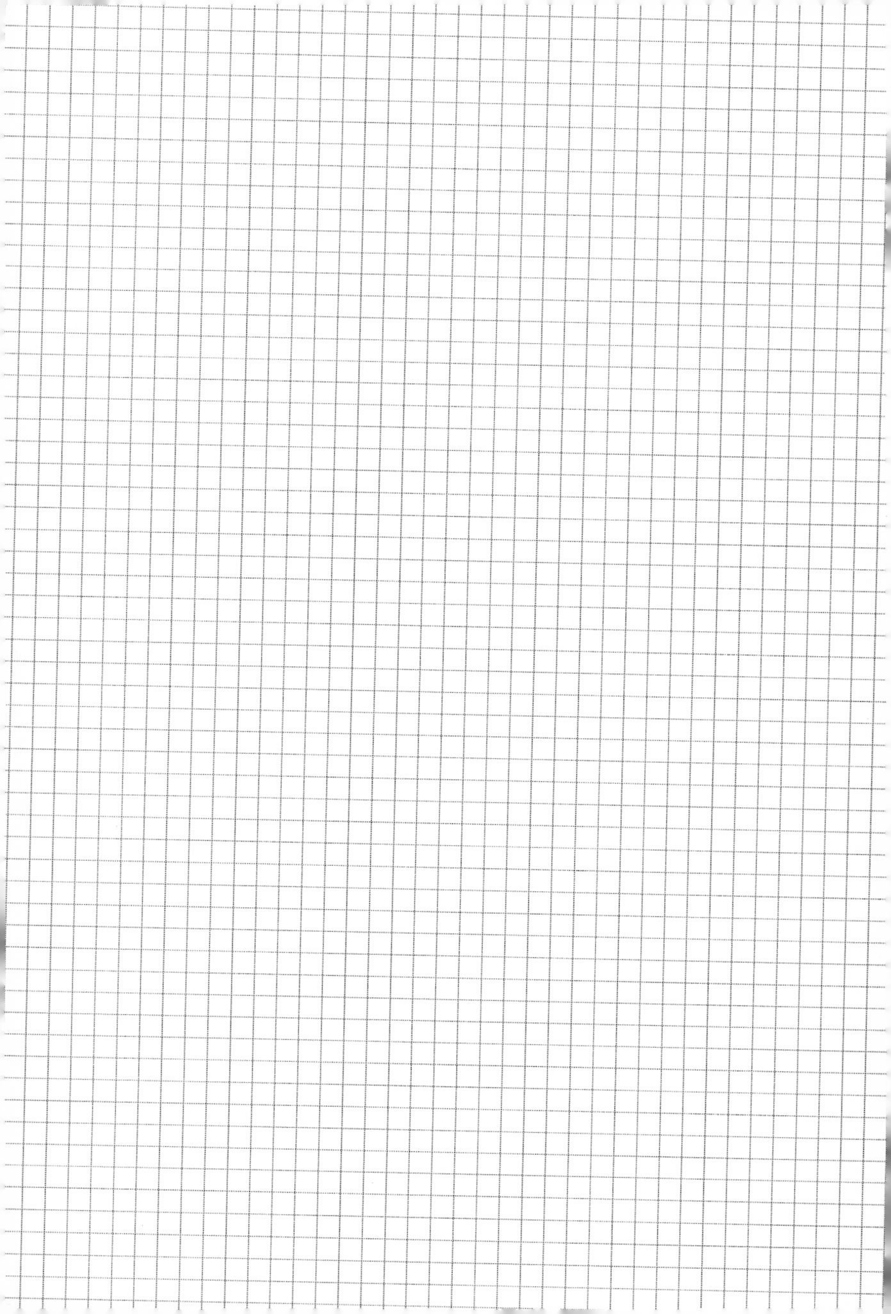

高弟街
0m
500m
N

珠江沿岸
N
0km
3km
新城南関東部
N
0km
1km

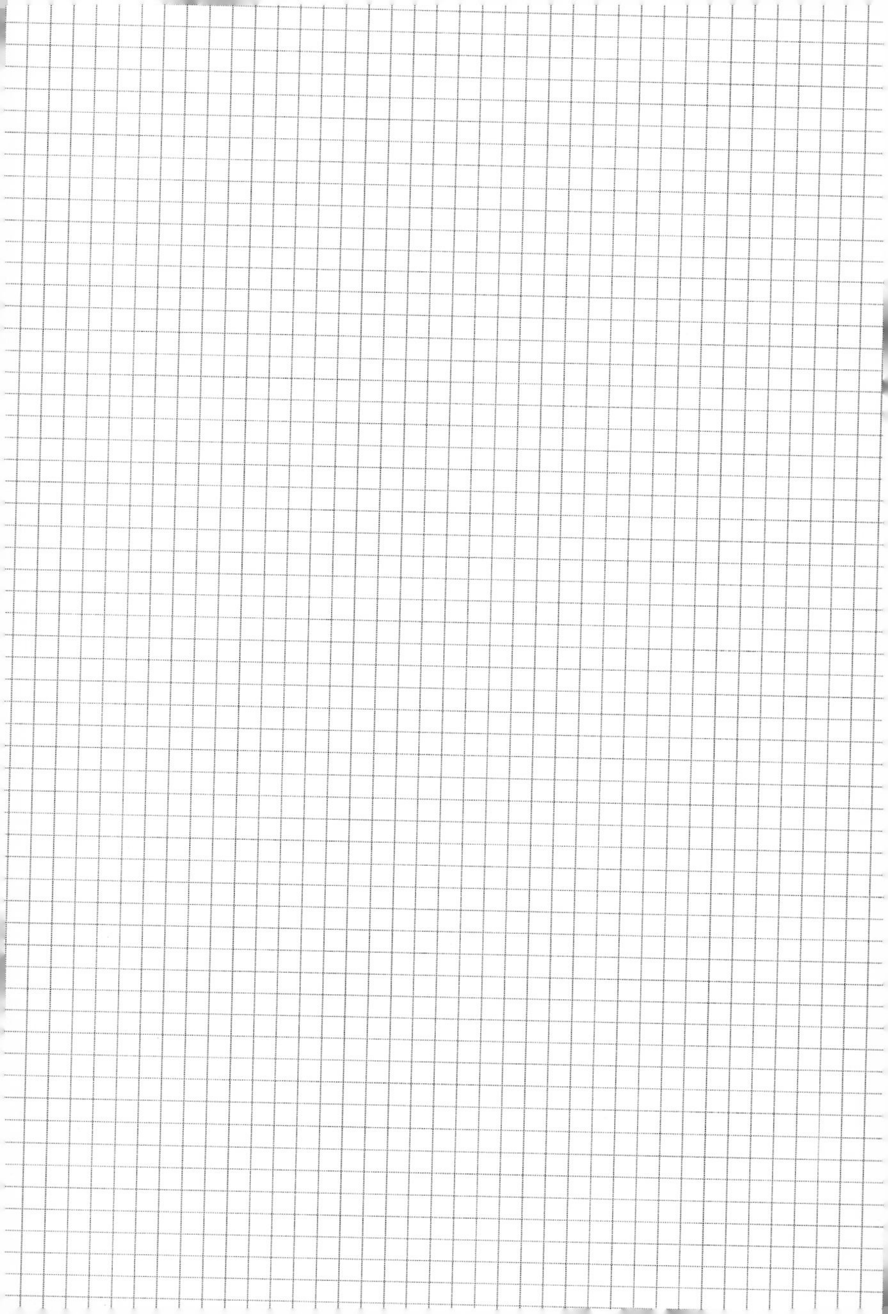

団一大広場
0m
500m
N

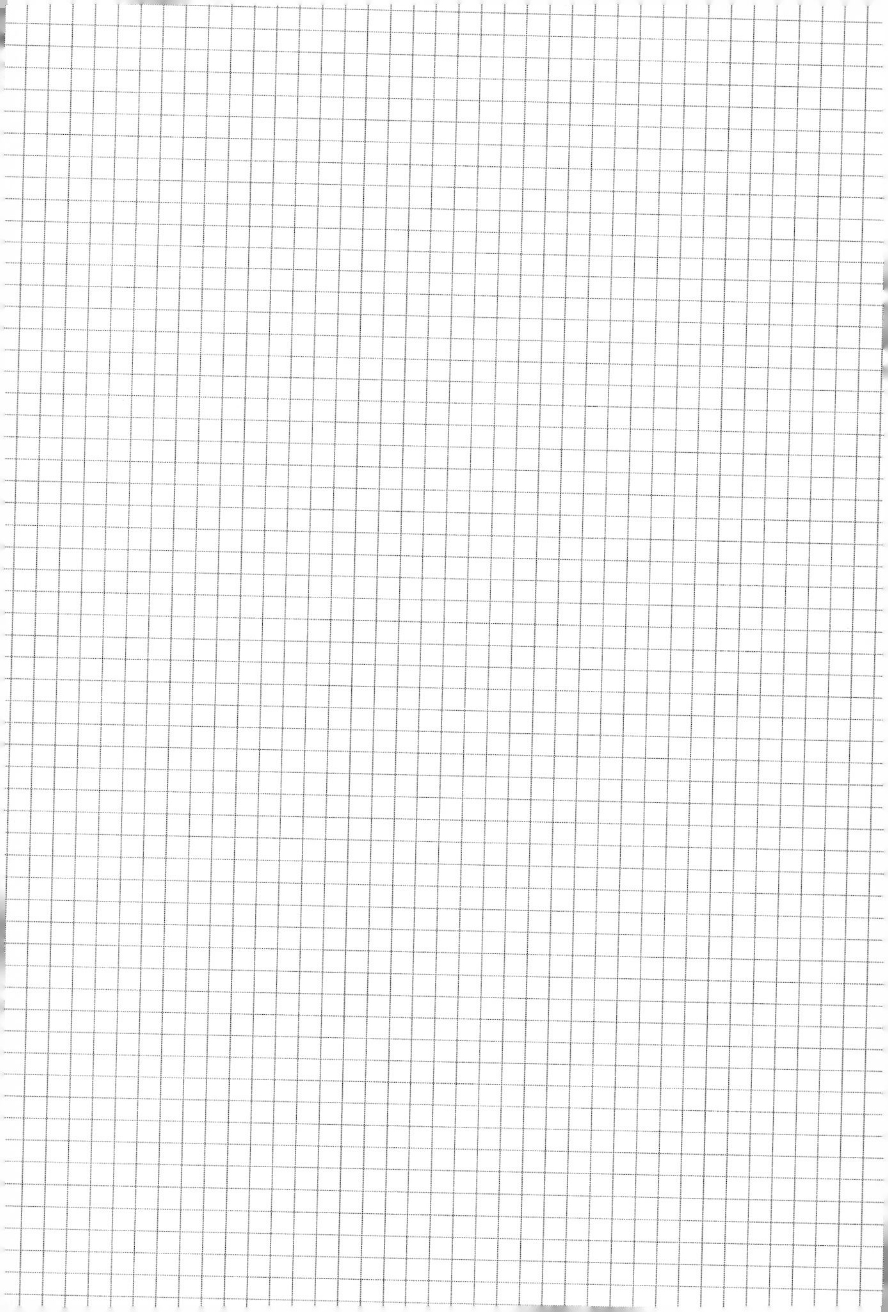

【車輪はつばさ】

南インドのアイラヴァテシュワラ寺院には
建築本体に車輪がついていて
寺院に乗った神さまが
人びとの想いを運ぶと言います

An amazing stone wheel of the Airavatesvara Temple
in the town of Darasuram, near Kumbakonam in the South India

まちごとチャイナ
広東省 012

広州西関と珠江

騎楼と大屋と「カントン」

［モノクロノートブック版］

「アジア城市（まち）案内」制作委員会
まちごとパブリッシング
http://machigotopub.com

・本書はオンデマンド印刷で作成されています。
・本書の内容に関するご意見、お問い合わせは、発行元の
まちごとパブリッシング info@machigotopub.com までお願いします。

まちごとチャイナ

[新版] 広東省012広州西関と珠江

～騎楼と大屋と「カントン」

2021年11月22日　発行

著　者　「アジア城市（まち）案内」制作委員会
発行者　赤松　耕次
発行所　まちごとパブリッシング株式会社
〒181-0013　東京都三鷹市下連雀4-4-36
URL　http://www.machigotopub.com/
発売元　株式会社デジタルパブリッシングサービス
〒162-0812　東京都新宿区西五軒町11-13
清水ビル3F
印刷・製本　株式会社デジタルパブリッシングサービス
URL　http://www.d-pub.co.jp/

MP361

ISBN978-4-86143-518-8 C0326　Printed in Japan